事例を通して学ぶ
避難所・仮設住宅の看護ケア

黒田裕子・神崎初美=著

日本看護協会出版会

はじめに

　2011年3月11日に発生した東日本大震災では、地震災害、津波災害、そして原発事故による放射線災害という不測の事態となりました。あの日、あのとき、看護支援のために多くのナースが被災地に駆けつけました。被災者1人ひとりのいのちを重んじようと相手と向き合い、人間としての生の声を必死に聞き取って、救命救急医療に携わったのです。

　ほとんどの人にとって、このような巨大災害での支援ははじめての経験であったと思います。被災者と向き合うにしても、何をどのようにしてよいかわからない状態であったことでしょう。しかし、目の前には助かったいのちが存在しているのです。彼ら/彼女らは、助かった人々の関連死を予防しようと必死でした。

　東日本大震災では、支援に赴いたナースの多くは避難所で24時間体制で看護に携わりました。そのようななかで、「避難所の看護をどのように展開してよいかわからなかった」「病院で勤務しているときと同じような看護ができなかった」と悔やむナースが多くいたのも事実です。そのような方のために、避難所や仮設住宅での支援時に役立つような書籍をつくりたいと考え、できたのが本書です。支援をしていくなかで、どうすればよいか迷ったり、困ったりしたときにすぐに参考にできるように、持ち運びがしやすいサイズで、簡潔でわかりやすい内容になるよう心がけました。筆者らの長年の被災地での経験から得た知識に理論を統合させた解説は、被災地での支援の際に必ず役立つでしょう。災害看護は特別なものではありません。ナイチンゲールの言葉である「人間」と「暮らし」に看護の視点を置き、「いま、自分にできることは何か」を考えて、全体のなかの「個」に目を向けることが、すべてのケアの本質です。「災害看護ははじめて」という方でも、本書を読めば、安心して看護が深められることと思います。

　現在、災害看護は、看護基礎教育のなかで統合分野の1つとして位置づけられています。被災地支援に行く人だけでなく、学校教育で災害看護を教える教員の手助けとしても、本書を活用していただければ幸いです。

2012年7月　黒田 裕子

Contents

はじめに……iii

第1章……1
避難所って、どういうところ?

災害医療体制とは……2
災害派遣ナースとして被災地で活動する前に……7
避難所の種類……11
避難所での看護職の役割……28
避難所での支援の際の気配りのポイント……48

第2章……59
事例から学ぶ
避難所・仮設住宅の看護ケア

Case 1　トイレの状況……60
Case 2　避難所内での靴の扱い……63
Case 3　避難所の場所取り……65
Case 4　食料がない……67
Case 5　情報が届かない……71

Case 6　薬の不足…………73
Case 7　かぜ、インフルエンザの流行…………76
Case 8　食中毒が発生した…………79
Case 9　子どもへの対応…………82
Case 10　泣くことができる場所がない…………87
Case 11　杖がないため歩行が困難な人…………89
Case 12　一般避難所で生活している災害時要援護者…………91
Case 13　洗濯がしたい…………93
Case 14　入浴の優先順位…………95
Case 15　避難所住民に取材したがるマスコミ…………97
Case 16　野菜摂取不足によるビタミンの欠乏…………99
Case 17　避難所住民の自立への支援…………103
Case 18　避難所の外に設置されている風呂に入れない人…………105
Case 19　避難所管理者の負担の軽減…………107
Case 20　仮設住宅に関する質問…………110
Case 21　孤独死の予防…………115
Case 22　1人暮らしの高齢者の家の合鍵…………118
Case 23　「早くあの世に逝きたい」と言う被災者…………120
Case 24　料理をしたことがない男性…………123
Case 25　利便性の悪い仮設住宅…………125
Case 26　仮設住宅のコミュニティ強化…………127
Case 27　仮設住宅住民の個人情報…………130
Case 28　仮設住宅での宗教活動…………132

プチ問題…………66, 70, 86, 102, 114, 134
コラム…………54, 56

おわりに…………135
索引…………137

■執筆

黒田 裕子

NPO法人 阪神高齢者・障害者支援ネットワーク 理事長／
NPO法人 日本ホスピス・在宅ケア研究会 副理事長／
しみん基金・KOBE 理事長／日本災害看護学会 理事

阪神・淡路大震災後、震災ボランティア活動に専念するため、副総看護師長をしていた兵庫県宝塚市立病院を退職し、被災者支援に全力投球してきた。国内外での被災地支援活動のかたわら、多くの看護学校や大学で災害看護の講義を務める。阪神・淡路大震災や新潟中越地震、スマトラ島地震等の災害支援活動の功績に対し、2004年、朝日新聞社社会福祉賞を受賞。

［執筆：第1章 p.11-27, 32-53, 第2章 Case 9-13, 17-18, 20-28］

神崎 初美

兵庫県立大学地域ケア開発研究所 地域ケア実践研究部門 教授
WHO 災害と健康危機管理に関する看護協力センター

2005年、大阪大学大学院医学系研究科保健学専攻博士課程修了（看護学博士）。大阪府立病院（現 大阪府急性期総合医療センター）ICUCCU、整形外科勤務の後、大学院への進学を経て、2004年より兵庫県立大学地域ケア開発研究所勤務、2010年より現職。2008～2012年、兵庫県看護協会理事（災害委員会担当・まちの保健室担当理事）。専門は成人看護、災害看護。

［執筆：第1章 p.2-10, 28-32, 第2章 Case 1-9, 14-16, 19］

第1章

避難所って、どういうところ？

災害医療体制とは
災害派遣ナースとして被災地で活動する前に
避難所の種類
避難所での看護職の役割
避難所での支援の際の気配りのポイント

災害医療体制とは

　災害医療体制とは、被災者の発生が多く予想されるような大規模な災害が発生した際に、医療提供が不足する可能性が生じる被災地域と住民に対して行われる体制づくりのことをいう。看護職が被災地支援に赴く目的は、被災地の看護職支援および被災地看護職では支援の行き届かないであろう被災住民の支援となる。
　災害医療体制は災害発生時にだけ必要というわけではなく、災害時に円滑に医療を提供するため、平穏期（備えの時期）から訓練や準備をして体制づくりをし

- 指揮命令系統や連絡体制の整備
- 初動からその後の経過状況に応じた医療体制の整備
- 通信手段やライフラインの確保
- 医薬品等の確保　　● マニュアルの整備
- トリアージ　　　　● 避難行動

[図1] 平穏期に必要な災害医療体制の実践

ておくことが非常に重要である。平穏期にできていない備えは、災害時には決してできないと考えたほうがよい。

具体的に必要な実践は、指揮命令系統や連絡体制の整備、初動からその後の経過状況に応じた医療体制の整備、通信手段やライフラインの確保、医薬品等の確保、マニュアルの整備、トリアージや避難行動などが含まれる（図1）。

災害医療体制のなかで看護職が看護実践を行う場合は、職務としての場合と、ボランティアとしての場合がある。これは個人の状況に応じて異なるが、前者は所属する病院や企業などの組織から派遣される場合が多く、職能団体などが募集する被災地への災害派遣ナースなどは後者の場合が多い。

1●災害発生から緊急災害医療体制の開始まで

災害発生の知らせを受けると、関係省庁の局長等の幹部が総理大臣官邸に参集し、緊急参集チーム会議を開催し、情報の集約にあたる。関係省庁では連絡会議が開かれ、各省庁は初動体制をとる。

地震災害の場合、震度分布や建築物倒壊被害、人的被害概況などの被害規模を短時間で推計できる地震被害早期評価システム（Early Estimation System；EES）により、災害被害の範囲や規模、地域分布、死傷者の発生数が予想できる。その数によって、緊急災害対策本部が緊急災害医療体制を準備する。

また道路、鉄道等の基盤施設および消防署、病院等の防災関連施設に関する情報をデータベースとしてもつ応急対策支援システム（Emergency Measures Support System；EMS）が災害被害状況を予測し、重症患者の発生場所からの搬送と搬送病院の受け入れ態勢の確保、必要ヘリコプター数の把握、必要医師数や看護師数を推計する。推計の結果によって緊急災害対策本部は各省庁に必要な対応を要請し、迅速配備を行う。

2●災害発生からの医療対策本部や災害拠点病院の動き

■1──災害対策本部と医療対策本部

災害発生時は首長が発令し、都道府県にも市町村にも災害対策本部が設置される。そして医療に関する拠点である医療対策本部も置かれる。災害対策本部

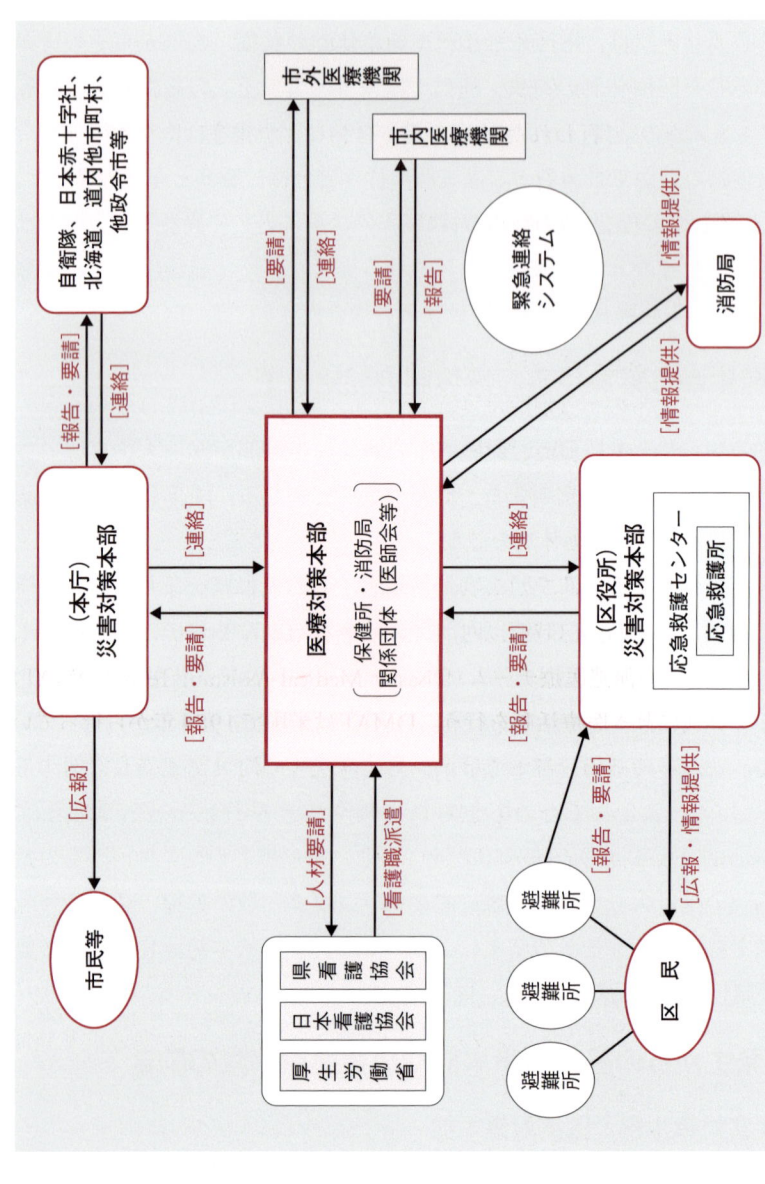

[図2] 災害時の医療機関情報と人材派遣要請等の流れ（札幌市）

（札幌市災害時医療体制検討委員会：災害時における医療体制について．2009年3月．札幌市ホームページ http://www.city.sapporo.jp/eisei/tiiki/saigai/index.html より改変）

と医療対策本部は、報告・要請と連絡を行う関係にある。

　医療対策本部となるのは、行政保健所、消防局、医師会等の関連団体である。このしくみは県と市でも、市と区との間でも同様である（**図2**に札幌市と区での運営の例を示す）。医療対策本部の下に、応急救護所や市内の医療機関がある。応急救護所や医療機関で行われた医療の状況や傷病者情報等は医療対策本部に報告し、必要時は人材要請も行う。また、医療対策本部は行政保健所とともに、避難所や地域住民の健康維持のための救護活動を行う。

■2──災害拠点病院と災害派遣医療チーム（DMAT）

　災害医療機関を支援し、災害時の重傷者受け入れや災害医療活動において中心的な役割を担う使命のある病院が災害拠点病院である。1995年の阪神・淡路大震災時の反省から、1996年に厚生労働省令で定められた。災害拠点病院は、厚生労働省の基準（原則、24時間対応の設備、ヘリコプター発着場、医薬品の備蓄、水や電気などライフラインの確保、耐震耐火構造などが必要条件）に沿って、各都道府県の2次医療圏ごとに原則1か所以上配置されている。

　災害発生時（概ね発災後48時間以内）には、災害拠点病院やボランティア組織、保健医療団体が、災害派遣医療チーム（Disaster Medical Assistant Team；DMAT）を結成し、被災地に赴き医療活動を行う。DMATは米国で1984年から行っている災害医療活動に由来する。日本では、2004年に東京都が都内の病院医師と看護師などを中心として結成したのを皮切りに、現在では各都道府県で結成されている。基本的には、被災自治体から厚生労働省が要請を受けた後に出動するが、急を要する場合は、各指定病院や職能団体（医師会や看護協会）の独自判断でも出動できるとしている。

　2011年3月の東日本大震災では、関西地域では関西広域連合を結成し、被災地3県を特定の県が支援するカウンターパート方式での支援が行われた。職能団体も行政とともにそのなかで活動を行った。

3●災害時の看護職派遣活動の流れ

　災害が発生すると、被災地の医療対策本部にいる行政看護職は、看護職派遣

に関する救援を被災地外へ要請する。保健師などの行政看護職は、この要請の判断が必要なことを知っておく必要がある。しばしば被災地においては「支援は必要ない」と自己完結させようとする姿勢が見られるが、支援は受けるほうがよいことが多い。マンパワーの補充により、被災地の支援者は休息をとることができるし、元気な働き手を得ることができる。

　要請先は、都道府県内看護職派遣に関しては都道府県看護協会や病院局等で、都道府県外看護職派遣に関しては日本看護協会、都道府県看護協会、厚生労働省である。その際に、派遣要請場所や不足するマンパワー数など看護必要度の査定をしておくことが必要である。査定に必要な情報源は、医療対策本部ミーティングで行われる申し送り情報、避難所などでの住民の健康調査結果や環境アセスメントなどで、医療職配置のない避難所では実地調査が必要となる。

4●避難所での活動

　行政看護職は、避難所で必要な看護必要度の査定を自ら行い、看護職を各避難所に配置する。通常、各避難所には行政担当者2名が配置されている。避難所に配置された看護職は行政担当者と協力し、避難所で生活する地域住民の健康維持と管理を行う。

　日本看護協会、都道府県看護協会、厚生労働省からの派遣以外に、現場医療チームもしくは医療救護チームの看護師として、避難所で診療の補助と療養上の世話を行う場合もある。

（神崎 初美）

災害派遣ナースとして被災地で活動する前に

1●避難所に赴く前の心構え

■1──できる限り被災地域に関する情報を入手する

　災害派遣ナースとして避難所で活動することが決まったら、被災地外にいる間にできる限り被災地域に関する情報を入手して、被災地内に出向いていただきたい。派遣が決まり現地に赴くまでには少なくとも24時間以上は時間の猶予があるだろう。その時間は"被災地状況の情報収集"のために割いてほしい。

　これから自分が赴く被災地は、もともとどのような地域であったのかや、総人口、地域規模、死亡出生数、高齢化率などの保健統計を知っておくことは、被災地で必要となるであろう支援を予測するうえで重要である。例えば、高齢化率が高いことがわかっていたら、出会う被災者は高齢者が多いと予測できる。これらの情報は県や市役所のホームページに必ず記述されているため、事前に閲覧し調べるようにしておいてほしい。

■2──災害発生による被害状況がどの程度かを把握する

　これから赴く被災地の災害規模と種類、地域特殊性、道路や交通機関の状況、医療機関の稼働状況、安全性などについても情報収集に努めてほしい。全壊家屋数や被災避難住民の数を知っておくことも重要である。

災害発生時には多くの人が避難していた避難所であっても、全壊家屋が少ない地域であれば、ライフラインの普及とともに自宅に戻れる人が多く、時間経過とともに避難所人口は減ってくる。反対に、全壊家屋が多い地域では、避難所の避難者は減少しない。電気、水道、ガス、電話、携帯電話、インターネット回線などのライフラインの破壊と復旧状況や見通しを知っておくことで、活動の計画が立てられ、被災地へもっていくものも調整できる。

2●被災地での心構え

■1──何のために被災地へ行くのか
　災害派遣ナースとして被災地で活動する場合に心がけてほしいことは、「自分は何のために被災地へ行くのか」という目的を見失わないということである。活動の主目的は、被災地域の人々の健康の維持と、被災地で働く看護職の支援である。その目的を遂行するためには、自身の健康に気遣い、円滑なコミュニケーションや看護活動ができるような服装を心がけ、適切な物品を用意したり、十分な事前の情報収集が必要であることが理解できるだろう。

■2──自己完結のボランティア活動とは
　「被災地支援に行くなら自己完結の姿勢で」と言う言葉を聞いたことがあるだろう。ここでいう「自己完結」とは、被災地医療職や被災住民の方に迷惑をかけずに自分自身で意思決定をし、周囲の人々と連携した活動ができるということである。
　災害支援に赴くことに"気分が高揚"した状態で現地に出かける人もいるが、到着した被災地では、多くの人々はすでに疲労が蓄積している状況下で生活しているのである。支援する側が場の空気を読めないと、被災住民は温度差を感じ、かえって疲れさせてしまう可能性もある。
　また、現地の支援者に何気なく聞いた「これ、まだできていないんですか」という言葉であっても、現地の支援者は「非難された」ととらえるかもしれない。なぜなら、現地の支援者は「十分なことができていない」と日々自問しながら活動していることが多いからである。被災地に支援に入った際は、使う言葉にも配

[表1] 被災地に赴く際に適切な服装

- [ ] 季節にあった動きやすい服装で、派手でないもの
- [ ] 帽子
- [ ] 靴底の厚い運動靴（水害災害時には長靴もしくは防水靴も考慮）
- [ ] 被災地の気温や天気予報を確認する

[表2] 被災地に赴く際に所持していくべき物品例

- [ ] 災害支援ナース登録証や腕章など身分を保障するもの、あれば自分の名刺
- [ ] 健康保険証のコピー
- [ ] 現金（小銭）
- [ ] 血圧計
- [ ] 聴診器
- [ ] 体温計
- [ ] 消毒液とガーゼ、絆創膏
- [ ] 文房具（ボールペン、赤黒マジック、はさみ、ステープラー、クリップ、セロハンテープ、ガムテープ、A4用紙数枚、メモ帳、付箋）
- [ ] 懐中電灯（ペンライトは必ず。あればヘッドライト）と予備乾電池
- [ ] 携帯ラジオ
- [ ] 携帯電話（充電器、充電用乾電池、ACアダプター）
- [ ] デジタルカメラ
- [ ] ホイッスル（自分が災害に遭った場合に必要となる）
- [ ] リュック、ウエストポーチ（活動時には貴重品は身につける）
- [ ] 現地地図（交通路線入り）
  * インターネット活用も可
- [ ] 雨具（折りたたみ傘、レインコート）
- [ ] 上履き（スリッパは不可）または軍足
  → 避難所に入る際に必要
- [ ] 洗面道具
- [ ] 裁縫道具
- [ ] タオル
- [ ] ティッシュペーパー
- [ ] ウェットティッシュ
- [ ] 着替え（日数分）、ソックス、下着、Tシャツなど
- [ ] 自分の常備薬、生理用品、うがい薬、目薬
- [ ] 携帯食　3食×派遣日数分（糖分、ビタミン、カルシウム補助食品）
- [ ] ペットボトル飲料水

【災害早期に被災地に入る場合】
上記に加え

- [ ] トイレットペーパー1巻
- [ ] 簡易トイレ、紙パンツ、尿取りパッド
  → トイレが使用不可のときに代用
- [ ] 寝袋
- [ ] 食品ラップ
  → 創部のラップ療法や食器に敷くことで洗浄不要にできる
- [ ] 割り箸
  → 骨折時の副木にも使用可
- [ ] 新聞紙
  → 掃除、保温、床に敷くなど
- [ ] ビニール袋（大・中・小）
  → 防水、雨具、更衣用の目隠しに使用可
- [ ] 季節により虫除けスプレーや使い捨てカイロ、使い捨て吸熱シート

慮して活動してほしい。

　被災地では自分のしたい援助が相手の望む援助であるとは限らないことを認識し、活動してほしい。相手の気持ちを察し、必要とされているニーズを見つけ出し、看護の基本に立ち戻ってコミュニケーションしていくことが重要である。

　しかし消極的になるのではなく、積極的で自発的な活動を行うことが大切である。支援者は、不足する災害看護に関する知識・技術を学ぶことが必要だが、実は最も重要なことは、人として当たり前の常識をもって看護できる人間力・社会力をもつことである、と筆者は経験から実感している。

3●所持物品と服装

　被災地に赴く際に適切な服装を表1に、所持していくべき物品の例を表2に示す。

（神崎 初美）

避難所の種類

　災害時に身の安全を求めて避難所にやってくる住民は多い。最近は、災害が起こるごとに新たな避難所が指定されるようになってきている。災害派遣ナースとして被災地支援に行った場合、ほとんどの人は避難所で支援を行うことになるだろう。

　筆者は1995年1月に発生した阪神・淡路大震災で被災した1人であり、自らも被災者ではあったが、特別避難所を立ち上げて、応急救護センターと両立させながら1か月間の支援を実践してきた。2011年3月の東日本大震災においては、避難所のなかで24時間体制で6か月間、住民とともに生活をしてきた。筆者は様々な災害現場に出向き活動をしてきた経験があるが、東日本大震災のように6か月間も避難所での活動を継続したのははじめてであった。今後、巨大災害が起これば、このような状況になることも考慮しておかなければいけない。災害派遣ナースはそのようななかでのケアが求められるのである。

1 ● 災害に関する法律

　災害に関する法律には以下のものがある。法律を熟知しておくことは、被災地での看護支援に有用である（図3）。

❶ 災害対策基本法

　災害に関する基本となる法律であり、災害が発生したときの国、地方自治体、

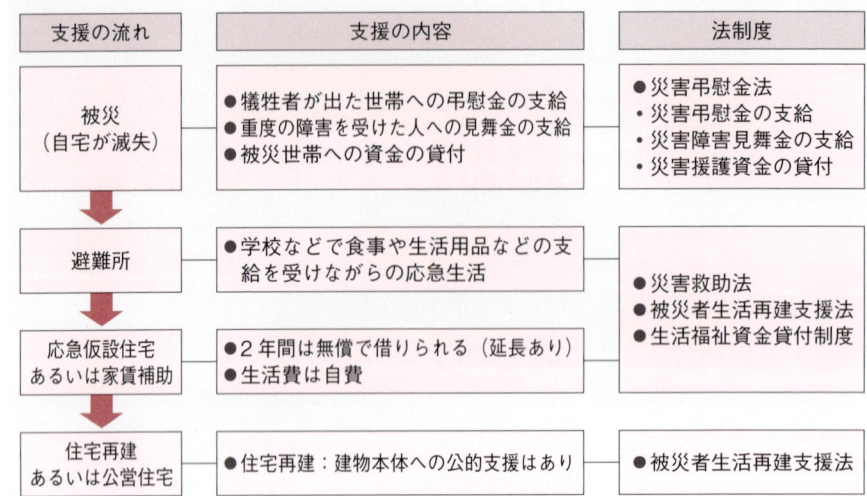

［図3］生活再建と法制度

住民の責任や災害対策本部の権限を定めている。

❷災害救助法

　災害が発生した場合の応急対策に関する法律の中心をなすものである。医療活動や被災者の救出、避難施設・仮設住宅の設置、給水給食・救援物資の支援、救援費の国や地方の分担などを定めている。

❸被災者生活再建支援法

　自然災害によりその生活基盤に著しい被害を受けた者で、経済的理由などによって自立して生活を再建することが困難な者に対して、都道府県が相互扶助の観点から拠出した基金を活用して支給し、自立した生活の開始を支援することを目的としている。

2●避難所の種類

　避難所には以下のような種類がある。
①第1次的避難所
②第2次的避難所（福祉避難所）

③分散型避難所
④指定以外の避難所（大規模災害の場合）⇒ 設置は市町村が判断する。
⑤テント・車の中などに居住⇒ 公的に認められてはいないが、集団生活を希望しない人が選択している。

　支援者はこのように様々な避難所があることを熟知し、被災した相手と向き合い、それぞれに適した避難所を選定することが大切である。

■1── 第1次的避難所

第1次的避難所には、以下のような様々な人が入居している。
- 自宅が被災し、物理的に住むことができない。
- 余震や火災から身を守りたい。
- ライフラインの停止により生活の維持ができない。
- 情報不足により不安がある。
- 自分にとって安心・安全な場所を求めている。

では、「様々な人」とはどのような人なのであろうか。

◎様々な人とは──

❶地域の住民、コミュニティそのもの

　東日本大震災のように、被害の状況によってはコミュニティがそのままの状態で居住できるとは限らない。

❷災害時要援護者（高齢者、障がい者、乳児、妊婦など）

　各市町村で第2次的避難所（福祉避難所）が確保されていても、住民にそれが告知されていないため、福祉避難所の入居対象者（高齢者、障がい者、乳児、妊婦など、災害時要援護者）が第1次的避難所に入居していることがある。

　このほか、阪神・淡路大震災時には以下のような人も第1次的避難所に飛び込みで入居されていた。

❸動物（ペット）といっしょに避難生活したい人

　筆者は動物も家族の一員として避難者と同様と思い、いっしょに居住できる場を何とか確保したが、実際にはペットと暮らせるような避難所はほとんどない。

しかし地域によっては、NPO団体に動物を世話してもらえるところもある。動物については、感染症の問題や、他の入居者が動物を好きか嫌いかによっても扱いが異なる場合がある。そのため、住民同士が喧嘩しないように支援者が調整を図ることが大切である。喧嘩が起こった場合は、支援者が間に入ることでスムーズにいくこともある。

❹受験生

受験生が避難生活をしている場合は、勉強ができる環境を確保するように配慮する。

❺退院直後の人

いつ、どのような状態で退院したのかを聞いておく。

[例]　胃がんの手術後、退院したその日に地震が発生し、第1次的避難所にやってきた人がいた。この人の食事は7分粥が指示されていたが、避難所にはこの人が食べられるものは何もなかった。このような状況においては、食べられるものを工夫するなどして、この人が安全に過ごせるように、できることをサポートしていくことが大切である。

---

❻災害発生直後にけがをしたが、病院では受け入れられなかった人

災害でけがをしたが軽症で、病院では「入院の必要はない」と受け入れられなかった人が、「自宅に帰るのは心配」と言って、自宅に戻らず第1次的避難所にやってくる場合がある。

[例]　3歳の男の子が地震でけがを負い病院に行ったが、「心配ない」ということで帰宅させられた。しかし母親は心配し、医師・看護師がいる応急救護センター兼避難所にやってきた。避難所に着いた3時間後くらいより、男の子に吐き気と嘔吐が始まった。先に受診した病院で再診してもらい、一命を取りとめた。

このような例もあるため、けがをした人の状態をよく聞き、よく観察することが、1人の人間のいのちを救うことにつながるということを忘れてはいけない。

- 行動に難渋をきたす高齢者（例えば認知症、生活弱者、情報弱者等）
- 杖歩行や車いす生活の者、片麻痺により歩行困難な者
- 環境に慣れず不穏状態の者
- 聴覚・視覚障がい者などで、環境に慣れない人
- がん患者、抗がん剤使用者、末期患者
- 免疫力低下と見受けられる人　など

[図4] 第2次的避難所への移動基準

■2 ── 第2次的避難所（福祉避難所）

　発災直後は指定された避難所（第1次的避難所）にコミュニティが集まるため、災害時要援護者が第1次的避難所に入居していることも多い。しかし、第1次的避難所に日々の生活に難渋をきたす人が居住している場合、周囲の障害のない健康な人との調整がとれなくなり、周辺の人の身体的・精神的負担となることがある。そのような場合、避難所全体が落ち着いてきたころに、その人が安全・安楽・快適な生活ができるように、第2次的避難所（福祉避難所ともいう）に移動してもらうようにする。

　第2次的避難所に移動してもらう人を決める人選（トリアージ）は、避難所開設後3日目以降に行う。第2次的避難所への移動基準を図4に示す。

　このような人々を第2次的避難所に移動させるにあたっては、手や腕にバンドやタッグなどを装着するなどして、優先順位をつけて行うとよい。現在のところ色や装着位置に取り決められたものはないが、以下のようにしてもよいし、各避難所でそれぞれ取り決めてもよいと思う。

- 優先順位の高い人 ⇒ 右手にオレンジのバンド
- 次の優先者 ⇒ 右手に紫のバンド

■3──分散型避難所

　1993年の石川県能登沖地震で、被災者のニーズに応えて自宅の庭に設置したユニットハウス（プレハブ建築物）がはじめて分散型避難所として指定された。これにより、被災者は快適な生活をおくることができるようになったのである。分散型避難所はプラバシーが確保できること、地域コミュニティのなかでの生活再建の促進ができること、生活復興を支援できること、などの長所があげられ、今後も分散型避難所での避難生活者が増えてくると考えられる。

■4──指定以外の特別避難所

　上記のような指定避難所が満員になったときに、特別に設立される避難所がある。特別避難所は市町村の権限で設置される。
　阪神・淡路大震災の例をあげると、兵庫県宝塚市では指定された避難所が多くの避難者で満員になり、急遽、総合体育館を特別避難所として開設し、被災者1,500名を受け入れた。体育館内には、応急救護センター、避難所、死者の安置所（47名が安置された）の3つの機能が設けられた。

3●避難所の運営

■1──避難所で受けられるケアサービス

　避難所で受けられるケアサービスを以下に示す。どのようなものがあるかを知っておくことも、被災地支援を行ううえでは重要である。
- 介護保険が適応できる（ただし、市町村により異なる。2007年の新潟県中越沖地震からこの仕組みができた）。
- 巡回診療が受けられる。
- 医療費の窓口一部負担金が免除される（阪神・淡路大震災では1年間だったが、東日本大震災では2年間に延長された）。
- 災害救助法によって、日々の生活が保障される（食料品・物資が配布される）。

■2──環境改善

　1997年6月、厚生労働省は「大規模災害における応急救助の指針」を策定し、

避難所のあり方について検討を行った。「避難所のあり方検討委員会」では以下のことを決定し、生活環境の改善を都道府県に働きかけた。
- 避難所のバリアフリー化
- プライバシー確保のための間仕切り確保
- 冷暖房機器などの設置

また、災害が長期化した場合などに被災者のプライバシーの確保、生活環境を維持・確保する観点から限界が指摘されており、企業の研修施設・保養施設等を含めて避難所の多様化を図ることも検討された。

■3──避難所の運営システムの構築

厚生労働省は、避難所の管理・運営を含む「大規模災害における応急救助の指針」を策定した。兵庫県もこれに基づき、2001年に「避難所管理運営の指針」を作成し、県内市町村も避難所運営管理マニュアルの策定を進めている。

公益社団法人 全国公民館連合会では、地域の避難所として、平常時の備えや対応マニュアルをまとめることを提言している。

4●避難所生活をしている人の悩み・訴え

被災者の不安状態は、発災より時間軸によって変化してくることを、支援者は知っておくことが必要である。避難所生活している人々にはどのような悩みや訴えが多いのかについて、筆者がこれまで経験した内容を**表3**に示す。

表3に示したような不安から、様々な症状が出現する。**図5**に示すような症状が現れたときは、医師の診察が必要な場合もあるので、きめ細やかな状態把握をしながら被災者と向き合うことが大切である。

避難所生活により被災者が抱く不満や悩みを**図6**に示す。

5●福祉避難所（第2次的避難所）

福祉避難所（第2次的避難所）の概要[1]を以下にまとめる。
❶目的
高齢者、障がい者等、特別な配慮が必要な被災者を福祉避難所へ避難させる

[表3] 避難所生活している人々の主な悩みや訴え

- 地震・余震に対する不安（余震は1〜2か月は継続する）
- 子どもや自分の変化に対する不安
- 自宅の被害状況に対する不安（危険度に応じた赤［危険］・黄［要注意］・青［調査済］の貼り紙により、自宅に住むことができるか、否かが決まる。貼り紙の色の違いにより、不安になったり、不満が出ることを知っておく）
- 今後の生活に対する不安（震災で職を失った場合は、今後どうすればよいか不安が現れる）
- 自分や家族の生死の不安（せっかく助かったいのちが、関連死という結果になることへの不安）
- 不眠の継続（これまでの思いや震災による悲嘆、今後のこと、いまの自分と向き合うことなどで、様々な思いがわき出てくる）

＊激しい症状の場合は、迷わず医師に診察を依頼する。
＊不満や悩みはどのような状態か、記してみる。

[図5] 不安によって現れる症状

- ● 着替える場所がない！
  - ⇒ 特に女性の場合は着替えの部屋が必要であるため、簡易なつくりでもよいから場所を確保する。着替え時には「ただいま使用中」と書かれた札を掲示するなどして、不用意に扉を開けられる不安を軽減し、安全を守る。

- ● 差し入れなど、周囲の人と違うものを食べにくい！
  - ⇒ 面会者が多いなどで食物の差し入れが多い人の場合、周囲の視線を気にして、自分だけそれを食べるのは気が引けると訴える人もいる。プライバシーを確保するために、ダンボールで囲いをするなど工夫する。

- ● 子どもが騒ぐのが気になる！
  - ⇒ 子どもの言い分も聞きながら、どうすればよいかを考える。時間帯によっても異なることがある。東日本大震災においては、子どもたちの会議をもつことにより、子どもたちに自ら対策を考えてもらうことで、調整を図った。

- ● ほかの人のいびきで眠れない！
  - ⇒ いびきをかく人に音が小さくなるよう工夫していただくが、本人が傷つかないように配慮することも大切である。周囲の人にも耳栓等の工夫をしていただく。

- ● 経済的なことや家族の話ができない！
  - ⇒ 避難所のなかに小さい部屋を用意しておくとよい。存分に話をしたり、泣きたいときに泣ける場としたりなど、様々な目的に使用できる。

- ● 精神科疾患、結核やその他の感染症の人が隣に来ると不安！
  - ⇒ 保健師、医師、避難所にいる行政職の人たちと相談し、適切な配慮を行う。

- ● トイレに行きづらいので、水を飲むのを極力控えている！
  - ⇒ トイレに近い場所に移動してもらう。また、水を飲まないことによる弊害について健康問題と兼ね合わせて話をし、水分補給をするように支援する。

［図6］避難所生活による不満や悩み

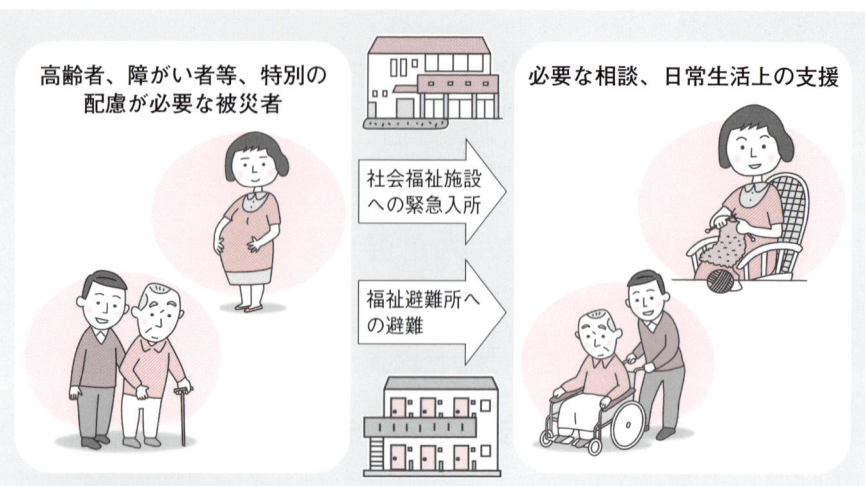

[図7] 高齢者、障がい者等の被災者への対応

ことにより、必要な相談や日常生活上の支援を行う(図7)。

❷仕組み

　市町村は、災害時要援護者が相談などの必要な生活支援を受けられる等、安心して生活できる体制を整備した福祉避難所について、施設の管理者と協定を結び、あらかじめ指定する。

　一定人員のスタッフ、器物、機材にかかわる経費については、災害救助法に基づき、都道府県および国が負担する。

❸対象となる施設

　原則として、耐震、耐火、鉄筋構造を備え、バリアフリー化されている等、災害時要援護者の利用に適しており、かつ、生活相談職員などの確保が比較的容易である老人福祉センターなどの既存施設を活用する。

　社会福祉施設の空きスペースを活用したり、公的な宿泊施設、民間の旅館、ホテルなどを借りて福祉避難所とすることも可能である。

❹必要人員・物品

　概ね10名の対象者に対し、1名の介助員（生活相談などにあたる）を配置する。高齢者、障がい者などに配慮したポータブルトイレ等、器物の用意および、日常生活上の支援を行うために必要な消耗機材（紙おむつ、ストーマ用装具など）の用意を行う。

❺福祉避難所の構成メンバー

　看護師2名、ヘルパー1名、給食世話人、事務局員、巡回医師（1日1回の巡回を原則とし、その他、必要時）が24時間体制で取り組む。

❻福祉避難所の居住者

　福祉避難所には、災害時要援護者（高齢者、障がい者、外国人、乳児、妊婦等）が居住する。また、要援護者まではいかないが、虚弱である人なども対象となる。

　災害時要援護者とは、必要な情報を迅速かつ的確に把握し、災害から自らを守るために安全な場所に避難するなど、災害時において適切な防災行動をとることが特に困難な人々のことをいう。

6●仮設住宅

■1──仮設住宅とは

　仮設住宅とは、避難所から自宅や復興住宅など恒久的な住まいに移るまでの「仮の住まい」として、公的に無償で提供される住宅のことである（災害救助法が適用された災害に限る）。

　仮設住宅の入居制限は2年と定められているが、特別法制定などで入居期限を延長することは可能である。1995年に発生した阪神・淡路大震災の場合は、三度にわたって約2年間、入居期限が延長された（筆者は4年3か月の間、仮設住宅に居住していた。これほど長い期間居住していると、なんと畳と畳の間に草が生えてきて、部屋のなかで草取りをしたこともあった）。2004年の新潟県中越地震でも1年間延長されたが、新潟県中越地震や2007年の石川県能登半島地震においては仮設住宅からの移動が早く、避難住民は2〜3年以内に恒久住宅に移動するようになった。

■2──仮設住宅の建設場所

　仮設住宅の建設にはまとまった敷地が必要なため、比較的用地条件を満たしやすい市街地周辺部に建設されることが多い。入居者選定方法によっては、それまで暮らしていたコミュニティと切り離されることもある。

　阪神・淡路大震災の被災地である神戸市の場合、仮設住宅の多くは、沿岸部の埋立地（ポートアイランド、六甲アイランドなど）の遊休地や神戸市郊外、新興住宅地の未分譲地に建てられた。これらの仮設住宅は生活の利便性が悪く、「陸の孤島」のようであった。また、仮設住宅入居者の選定が抽選であったため、それまで住んでいたコミュニティとは地理的・社会的に切り離されることになり、居住者を孤独化・孤立化させた。仮設住宅内での孤独死や、自殺する人も少なくなかった。

　筆者らのボランティア組織「阪神高齢者・障害者支援ネットワーク」は、阪神・淡路大震災で設置された最大の仮設住宅「西神第7仮設住宅」（戸数1,060戸、居住者数1,800名）の敷地内に80平方メートルの大型テントを設営して、西神第7仮設住宅周辺の仮設住宅をあわせた約3,000戸を対象に、1995年6月から24時間体制で継続して支援活動を行った。西神第7仮設住宅が解消された1999年までの約4年間、「1人の人としていのちを重んじる」ために仮設住宅の居住者とともに過ごした。

■3──仮設住宅で最初に取り組むべきこと

　仮設住宅の居住者への支援は、まず居住者（被災者）のニーズ調査から始めてほしい。そのことが人命救助につながる。被災者1人ひとりに向き合っていくことが大切なのである。

　被災者と向き合うときは、原点として、「人間の健康」と「生活」に視点をおいてほしい。災害によって様々な苦痛を抱き、その苦痛と向き合っている被災者を、生活をしている1人の人間としてとらえることが、よりよいケアにつながるからである。

　仮設住宅には、見守りが毎日必要な人もいれば、週3回でもよい人もいる。それぞれの居住者の状況に応じて巡回の頻度を決めるとよい。

■4──被災者にとって暮らしやすい生活環境とは

　仮設住宅の生活は全般的に不便な点が多く、被災者が日常生活をおくるにはとても困難な点がある。それを解決するには、下記のようなことが有効である。

- 棟番号を目の高さの位置に大きい字で記す。
- 玄関口が高い場合は、階段を設置する。
- 防音の工夫として、壁を1枚多く張る。
- 天井や畳に隙間がある場合は、隙間をガムテープや古新聞で応急的に補正する。

　どんな小さなことでも構わないので、居住している被災者といっしょに居住環境を改善する工夫をしてほしい。居住環境の改善が、生きる力を育む場合がある。大がかりな環境改善が必要な場合は、ボランティアの力を借りたり、行政の仮設住宅担当部署に相談するようにする。

　また、仮設住宅に設置された冷暖房・給湯・入浴などの設備は、特に高齢者にとって使い慣れていないものが多く、使用できていないこともある。使用方法を大きくわかりやすく書き、適切な位置に貼ったり、繰り返し使い方を教えるなどの支援が必要である。

■5──仮設住宅での医療相談・福祉相談の重要性

　仮設住宅において医療・福祉相談活動を積極的に行うことで、仮設住宅の居住者がかかえる健康上・生活上の問題を早期に発見・解決することができる。

　被災住民は仮設住宅に移り住むことで、これまでのかかりつけ医との関係が切れてしまう。仮設住宅という生活環境の激変への対応で精一杯になってしまい、新たな医療機関に受診することを後回しにする人が少なくない。受診を継続できた人でも、そのために健康状態が悪化していくこともめずらしくない。医療相談活動を通じてそのような人を見つけ、医療機関の受診や服薬を促したりして、健康状態を維持することが重要となる。

　福祉相談活動で最も重要なのはお金の問題である。生活費が十分でない場合、なかには何も食べないで過ごしている人もいる。金銭的な問題を抱えている人は、いち早く生活保護の受給ができるように社会福祉事務所などの生活保護の担当者につないでいくことが大切である。

　仮設住宅で暮らす人は、大きな問題から小さな問題まで様々な生活上の困りごとを抱えている。大問題だけでなく、小さな困りごとを1つずつ解決していくだけでも安心につながる。医療・福祉相談活動は、その困りごとを見つけていくための大切なしかけといえる。

■6──阪神・淡路大震災での仮設住宅支援活動を通して見えてきた課題

　1996年2月の兵庫県の調査によると、阪神・淡路大震災時の仮設住宅居住者の高齢化率は30.3％、独居率は51.2％であった。筆者が支援していた西神第7仮設住宅の高齢化率は、県平均よりも高く51.2％であった。

　国の推計では、2050年には日本の高齢化率は28％を超える超高齢社会になるといわれており、当時の仮設住宅の状況はそれが前倒しされて出現したものだった。筆者の仮設住宅の支援活動を通じて見えてきた課題として、以下の4点をあげたい。

> ①在宅福祉の3本柱（ホームヘルプサービス、デイサービス、ショートステイ）の不備
> ②医療・保険・福祉の連携不足
> ③これまでの制度・システムの見直し
> ④住民本位のまちづくり

　1995年当時は介護保険制度導入以前ということもあり、介護サービスの供給量は圧倒的に不足している状況だった。仮設住宅を支援する筆者らボランティアは、行政・企業・民間（ボランティア）でよく話し合い、よきパートナーシップをつくっていかなければ仮設住宅の支援はできないものと考え、3者でミーティングを積み重ねてきた。この実践は、介護保険制度下の現在でも、住民本位の福祉のまちづくりを行ううえでは欠かせないものだと考えている。

　高齢者や障がい者が豊かな在宅生活をおくり、共に生きることができるように支援するために、私たち看護職・介護職も「医療と福祉」の視点に目を向けることが大切である。

■7──仮設住宅で直接、住民の支援にあたるのは誰か

　2004年の新潟県中越地震では、復興基金の委託事業として社会福祉協議会から仮設住宅に「生活支援相談員」が派遣され、被災者の生活上の支援・見守り活動にあたった。一般の仮設住宅を含めて見守り支援の専門職が配置されたの

は、この中越地震が最初であった。

　2011年の東日本大震災では、生活支援相談員、見守り隊、サポートセンター等より人材派遣された人など様々な人が仮設住宅を定期的に巡回訪問しているが、横の連携がまだまだ未熟である。そのための連絡会が2012年3月より実施されている。

　阪神・淡路大震災では、高齢者・障がい者用の地域型仮設住宅（福祉型仮設住宅）に対する生活援助員の日中派遣や24時間常駐職員の派遣（24時間ケア付き仮設住宅）などは行われたが、一般の仮設住宅に関してはボランティアによる見守り支援が行われた。

　被災者が自立し、生活力を高めるように支援するためには、見守り支援が非常に重要である。しかし災害対策としても、平時の福祉施策としても、地域の見守り支援活動のような地域福祉の取り組みはまだまだ十分とはいえない。

■8──仮設住宅における支援活動の重要課題

　仮設住宅におけるボランティア活動には、次の3つの重要課題がある。

> ①高齢者の孤独死を防止する。
> ②コミュニティづくりを行う。
> ③寝たきりをなくす。

　重要課題があげられる理由は、阪神・淡路大震災後、仮設住宅での生活が始まってしばらくして、1人残された高齢者が誰にも知られることなく亡くなるという「孤独死」が起きたからである。孤独死の定義は定まっておらず、1週間誰にも認められることなく死亡した場合を孤独死とするというのが一般的であるが、たとえそれが1日であっても孤独死ではないかと筆者は考える。このことについては検討の余地があるだろう。

■9──仮設住宅で生活する高齢者の健康とこころの状況

　仮設住宅で生活する高齢者は、健康におけるニーズよりも、仮設住宅での共

同生活を通して生じた不安や不満、せつない思いを抱きがちだが、その反面、災害後の生活を前向きにとらえることができるようになる。健康状態についても、時間の経過とともに改善傾向が見られる。高齢者は、自身の健康状態が維持できているのは通院しているからであるととらえており、健康面では主治医の存在が大きいことが明らかになっている。

被災住民が避難所から仮設住宅に移動する際に、必ず出てくるのは次のような質問である（p.110 Case 20参照）。

- 仮設住宅には、洗濯場がありますか。
- 洗濯物を干す場所はありますか。

避難所生活ではこのような点に最も苦労されていることがうかがえる。いずれも可能であると伝えると、安心していただけるだろう。

（黒田 裕子）

●引用文献

1) 内閣府：災害時要援護者の避難支援ガイドライン.

避難所での看護職の役割

　看護職として避難所に駐留する際には、避難所住民の数や健康状態・避難所環境などの状況について情報を入手し、把握することが求められる。その内容を日報に記載し、被災地の保健所に毎日FAX送信する。また、毎朝もしくは毎夕に開催される看護職同士のミーティングに参加し、自分の活動を手短に報告する。このとき、他の避難所や看護職の活動状況を知ることができる。

1●避難所環境の把握と対応

■1──避難所の昼夜人口の把握と対応

　避難所の人口は昼と夜では大きく異なる。昼間は被災住民は自宅の片付けに出かけたり、被災から時間が経過すれば働きに出たりするため、避難所内はほぼ子どもと高齢者だけになる。東日本大震災では、昼間は行方不明の家族を捜しに出かける人も多かった。

　避難所で最も人が多くなるのは、朝食と夕食の配食時である。伝達したい情報や実施したい内容があれば、人口の最も多いこのときに行うとよい。静脈血栓塞栓症（エコノミークラス症候群）や廃用症候群（生活不活発病）予防のためのラジオ体操なども、人が多い朝夕に行うほうが効果的である。

　情報を入手しにくい高齢者などに伝える必要があるため、日々更新される災害関連情報には常に注意を向けておくべきである。

■2── ラジオ・新聞・インターネットからの情報

　災害時、最も有用な媒体はラジオである。ラジオは基地局が破壊されない限り放送を聴取することができる。何か活動をしながらでも音は耳に入る。

　避難所には新聞が置いてあることが多いため、時間を見つけて読むように心がけるとよい。携帯電話やインターネットは、電力が普及すれば便利な媒体となる。

■3── 様々な職種の人々から有用な情報を得る

　避難所で看護活動をしているなかでは、自宅避難者の数の把握は困難である。しかし、避難所を運営している組織やリーダー、自治会長は情報をもっている場合があるため、それらの人から情報を得て、看護支援の必要性を探るようにする。支援が必要な場合は、行政看護職との連携を試みる。

　また、避難所には必ず行政担当者が2名駐在しており、医療職も活動している。ボランティアを組織する社会福祉法人のスタッフや自衛隊が駐留している場合もある。様々な職種の人々と交流をもち、有用な情報を得て、連携して被災地での支援を行う。

■4── ライフラインやマンパワーの稼働状況、避難所環境などの把握

　被災地では支援者もその場で生活するので、ライフライン途絶による不便は実感できる。ライフラインの状況と復旧の見通しに関してはデマや噂が飛び交うのが常であるため、詳細な情報は必ず行政から得るようにするとよい。

　また、不足物品があったり環境改善が必要な場合は、なるべく多くのことをメモに記載しておき、毎日行われる行政看護職とのミーティングで報告することで、適切な支援へと結びつけていく。

2 ● 避難所住民の健康状態の把握と対応

■1──避難所住民の健康状態の観察

　避難所で看護活動を行う場合、まずは最初に空間の端に立って避難所の空間全体を見渡してみよう。広い空間のなかの1人ずつの表情や動作がよく見えるだろう。苦しそうな人はいないか、咳をしている人はいないか、注意深く観察してみよう。

　次に、ほかの看護職と手分けして、避難所住民の血圧測定をしながら会話をして、避難所全体を回ってみよう。看護職の武器である血圧計と聴診器をもち、「血圧測りましょうか」と話しかけると、避難所住民は注意を向けてくれる。また避難所住民の体に触れることができ、相手に安心感を与えることもできる。そのうちに、一言二言と話し始める人もいるかもしれない。最初は体についての話でなかったとしても、その人の声に耳を傾け続けることで、次第に体についての話に触れることができるケースもある。それまで自身の体のことに気を配る余裕がなかった避難所住民には、語ることで現在の体調に自身が気づけるように支援していこう。

■2──高血圧や持病の悪化への対応

　避難所で暮らす人々の血圧を測定していると、血圧が高い人が多いことに気づくだろう。避難所では、血圧が安定する要素があまりに少ないからである。地震・余震に対する不安と恐怖心、将来への不安、プライバシーが保てない、安心できずに眠れない、喪失感や焦燥感のある人もいるだろう。昼間に家の片付けをして、疲れすぎて眠れない場合もある。

　血圧が高いのは避難所住民だけではなく、支援する側も同じである。行政担当者や炊き出しをしている人、自治会長などの血圧や体調にも注意を払ってほしい。

　また、避難所生活のなかで持病が悪化する人も多い。高血圧、糖尿病、リウマチなどの病歴を聴取し、喘息や呼吸器疾患のある人には聴診器で呼吸音の聴取をするようにしよう。

■3──感染症の予防

　避難所でかぜやインフルエンザに罹った人がいると、狭い空間にいるため避難所住民の間に瞬く間に流行する。よって、流行する前に、避難所での健康教育指導が重要である。手洗い、うがい、くしゃみ、咳エチケットについて教育し、他人からうつされることを予防するだけでなく、自分が感染源となる可能性があることにも注意を払えるように、ポスターやチラシをつくって住民を啓蒙することが大切である（p.78 図2も参照）。

　食中毒についても注意が必要である。避難所生活の日数が経過すると、おにぎりや弁当の取り置きにより発生し、集団感染を引き起こす可能性もある。支援物資で届いたものでも、消費期限を越えた食品は廃棄するように促す。

■4──水分摂取の促し

　避難所生活の日数が経過すると、避難所のトイレが汚くなり始め、トイレへ行くのを躊躇するようになる。さらに高齢者は、トイレが遠いとなおさら、トイレに行くことを我慢するようになったり、水を飲まないことが賢明だと思うようになる。

　水分摂取を控えることは、脱水症や静脈血栓塞栓症（エコノミークラス症候群）、廃用症候群（生活不活発病）の誘因となるため、水分摂取を勧めることが大切である。ペットボトルにマジックペンで日付を記し、線を引き、翌日までに線までの量を飲むよう促すとよい。

■5──優先すべき健康問題の把握と緊急性の判断

　人工透析をしている人、在宅酸素療法をしている人、認知症の人、感染症の人などは、①医療支援の緊急性があるか、②避難所でこの先も暮らせるか、の2点により医療施設への移送を判断する。例えば、災害時に最も早期に病院に移送する必要があると考えられている人工透析者でも、家族がそばにいて、近隣に透析可能な医院があり、透析予定日にそこまで通うことができれば、避難所で暮らすことが可能であり、それを望む人もいる。

　東日本大震災後の避難所での筆者の経験であるが、夕食後に「頭痛がする」

と訴えて災害支援ナースである筆者のところに来られた人がいた。血圧を測定すると収縮期血圧が200 mmHgあり、片側のしびれを自覚していたため、すぐに救護班のいる災害対策本部に移っていただいた。**緊急性の判断が看護職だけでは難しい場合には、すぐに医師に連絡を取ることが必要である。**

■6──健康相談内容の集計と分析

　被災地外から被災地の避難所へ赴いた災害派遣ナースは、いずれは被災地を去ることになる。よって、継続的な看護を可能にするために、健康相談の実施によって得た情報──例えばどのような症状（発熱、咳、頭痛、高血圧、めまい、腹痛、便秘・下痢、食欲不振、ストレス、不安、吐き気・嘔吐、睡眠不足、疲れ）や病気が避難所内に多いのか、など──を集計し、簡潔に記述して記録として残す必要がある。記録物のフォーマット（**図8、9**）が決められている場合はそれを用い、なければ自身で作成する。

（神崎　初美）

3●避難所での看護活動と看護職の役割

　避難所で生活することにより、被災者には様々な問題が現れてくる。そのとき支援者がそばにそっと寄り添うことができるかどうかが、その後の被災者のケアに大きな影響を与える。支援者の目の向け方によって、被災者の心が穏やかになることもある。看護職が自らの手・目・心・耳・口を使って、いかに被災者に寄り添うことができるか──それが重要なのである。

■1──避難所での看護アセスメントの視点

　避難所での看護職の役割はとても大きい。被災者に向き合うとき、看護職は看護の視点の向け方や言動の振る舞いについて十分に心を配り、かかわることが大切である。つまり、"1人の人としてのいのち"と向き合うということである。

　避難所で看護アセスメントを行うときは、以下の視点からとらえるようにしてほしい。

氏名：	性別：	日付：
住所	年齢：	避難所：

作成：兵庫県立大学看護学部／地域ケア開発研究所

つぎの内容に該当する方は、避難所の保健師・看護職者にお知らせください

該当する箇所の ○印を ● のように塗りつぶしてください

あなたやご家族の「健康支援の程度」を確認します

1. ケガや痛みについて（様子を伺います）　2. お薬を飲まれている方へ（必要な医薬品を伺います）

ケガをしていますか	○はい	○いいえ		お薬を処方されている方ですか	○はい	○いいえ
痛みはありますか	○はい	○いいえ		薬がないと症状が急に悪化しそうですか	○はい	○いいえ

3. つぎの「急を要する方（家族）」に該当しますか（必要な医療提供体制を検討します）

○在宅酸素	○人工透析	○インスリン注射	○心不全	○ぜんそく	○難病	○その他
						○なし

4. つぎの方に該当しますか（必要な支援・福祉避難所などを検討します）

○身体障害	○視覚障害	○聴覚障害	○精神障害	○妊産婦	○乳幼児	○車いす
○入歯紛失	○眼鏡紛失	○在宅介護	○寝たきり	○認知症	○一人暮し	○その他
						○なし

5. つぎの病気にかかっていますか（持病がないか伺います）

○高血圧	○高脂血症	○糖尿病	○心臓病	○腎臓病	○肝臓病	○脳血管病
○呼吸器病	○感染症	○アレルギー	○自己免疫病	○歯の病気		○その他
						○なし

あなたやご家族に、インフルエンザや食中毒、体調の変化がないか確認します

6. つぎの自覚症状はありますか

○発熱	○せき	○頭痛	○血圧の異常	○めまい	○はきけおうと	○下痢
○腹痛	○便秘	○食欲不振	○ストレス	○不安	○睡眠不足	○疲れ
					○その他	○なし

発熱、せき、頭痛 → インフルエンザなどの感染症を見つけます
頭痛、血圧の異常、めまい、はきけ・おうと → 心疾患、脳血管疾患の悪化を見つけます
はきけ・おうと、下痢、腹痛 → 食中毒の発生を見つけます
便秘、食欲不振、ストレス、不安、睡眠不足 → 精神的な疲労を見つけます
睡眠不足、疲れ → 肉体的な疲労を見つけます

［図8］被災者のアセスメントシート

（兵庫県立大学大学院看護学研究科21世紀COEプログラム：災害看護 命を守る知識と技術の情報館
http://www.coe-cnas.jp/）

避難所の清潔・生活環境　評価シート（保健師・看護職用）

基本情報

記入年月日　平成　□□年　□□月　□□日

責任者（住民側）		避難所の名称	
責任者（行政側）		昼間の避難者数	人
責任者（その他）		夜間の避難者数	人

避難所と外部との交通アクセス状態　○平常　○困難だが可　○不可能
避難所の過密度　○余裕　○適度　○過密

従事者数

市町村保健師数	人
応援保健師数	人
応援看護師数	人
その他	人

食事と飲み物

食事の提供	○充足 ○不足 ○なし	水・お茶	○充足 ○不足 ○なし
野菜の提供	○充足 ○不足 ○なし	牛乳・乳製品	○充足 ○不足 ○なし
主食の内容		副食の内容	

設備の復旧

上水道	○復旧済み ○未復旧 予定	日頃
電気	○復旧済み ○未復旧 予定	日頃
ガス	○復旧済み ○未復旧 予定	日頃

清掃・ごみ処理

避難所内の清掃状態	○良 ○普 ○悪
ごみ処理の状況	○適 ○不適
ごみと居住空間の隔離	○適 ○不適

残飯処分	○適 ○不適
処分した残飯の保管場所	○倉庫 ○屋外 ○なし
廃棄物保管場所	○倉庫 ○屋外

室内環境の保全

室内の温度	○適 ○不適
冷暖房の機器の数	○充足 ○不足 ○なし
毛布または掛け布団	○充足 ○不足 ○なし
寝具の下の下敷き	○充足 ○不足 ○なし
騒音防止対策	○実施 ○未実施
安眠対策	○実施 ○未実施
ついたて等によるプライバシー確保	○実施 ○未実施
授乳場所の確保	○実施 ○未実施
着替え場所の確保	○実施 ○未実施
段差解消 転倒防止	○実施 ○未実施

感染・疾病予防対策

室内外の履き替え	○実施 ○未実施
換気の実施	○実施 ○未実施
湿度コントロール	○実施 ○未実施
避難所内の禁煙	○実施 ○未実施
粉じん対策	○実施 ○未実施
マスクうがいの徹底	○実施 ○未実施
寝具の乾燥日光消毒	○実施 ○未実施
愛玩動物の隔離	○実施 ○未実施
洗濯機	○あり ○なし
洗濯用の洗剤	○あり ○なし

トイレ・手洗いの励行

使用できる大便器	総数　　器　簡易　　器　洋式・障害者用　　器
トイレの数	○充足 ○不足
トイレの清掃	○実施 ○未実施
トイレ後の手洗いでの流水の使用	○あり ○なし
トイレ後の手洗いでの消毒液の使用	○あり ○なし
食後の手洗いでの流水の使用	○あり ○なし
食後の手洗いでの消毒液の使用	○あり ○なし
トイレ後・食後の手洗い場の分離	○実施 ○未実施

風呂・身体の清潔

近所に使用可能な浴場	○あり ○なし
近所に使用可能な簡易浴場	○あり ○なし
近所に使用可能なシャワー	○あり ○なし
着替え・下着の交換	○実施 ○不完全
おむつ・生理用品	○充足 ○不足

［図9］避難所の環境整備シート

（兵庫県立大学大学院看護学研究科21世紀COEプログラム：災害看護 命を守る知識と技術の情報館　http://www.coe-cnas.jp/）

❶環境管理的側面からのアセスメント

環境管理的側面からのアセスメントの具体的な展開方法を以下に記す。

- 水道、ガス、電気のライフラインの状態を把握する。
- 冷暖房、防音、ほこりなどの状態を把握する。ゴミ（残飯）には暮らしが反映されているため、ゴミ箱の中身をしっかり把握しておく。
- 清掃を行う際は、ほこりが立たないように新聞紙を濡らして床に敷いたり、床にお茶の葉を撒くなどの工夫をするとよい。
- トイレの環境管理・清掃を徹底する。便器の汚れの状態をよく把握しておくことで、住民の健康問題をとらえることができる。
- プライバシー確保のため、ダンボールなどで囲いをつくる。
- 憩いの場をつくる。避難所全体を見回して、スペースのあるところに小さな空間をつくり、テレビなどを置いてもよい。ただし、憩いの場の設置は開所から10〜15日程度経ってからとなる。
- 情報公開・共有の場をつくる。毎日報告される行政からの情報と住民からの情報を区別し、住民がよく把握できるようにきめ細やかな情報提供を行う。

❷感染管理的側面からのアセスメント

避難所には感染を引き起こす様々な要因がある。感染管理的側面からのアセスメントの具体的な展開方法を以下に記す。

- 避難所開所直後は騒然としていて清掃を行うことは不可能かもしれないが、3日くらい経過すれば実施することは可能である。
- 避難所の住民は避難後は健康状態が維持できず、抵抗力が低下することがあるため、常に身体状態に気を配るようにする。
- 避難所での食生活は十分でないことがあるため、住民の日々の食事状態を把握しながら、不足を補う手段を考える。
- ライフラインの途絶により水道が使えない場合は、手洗いなどが十分にできないと感染を引き起こす要因となる。手洗いの代案（ウェットティッシュの配布など）を考案し、実施する。

避難の時期により、気をつけなければならない感染症の種類は異なる。個別の感染症の予防対策と対応を**表4**に示す。

[表4] 避難所で気をつけるべき感染症の種類と予防対策・対応

感染症	感染経路	対策・対応
疥癬 （かいせん）	接触感染	● 腹・手の間などがかゆいという訴えがあったら、かゆいところがどのような状態になっているか、しっかり把握する ● ミミズ腫れになっていないか、気をつけて確認する
MRSA（メチシリン耐性黄色ブドウ球菌）感染症	接触感染	● 手洗いを十分に行う ● トイレのスリッパは避難所内で履くものとは別のものを用いる
かぜ	飛沫感染	● 咳などをしている人にはうがい（含嗽）を促す ● 同じ症状の人を1か所に集めるなどして、ほかの人にうつさないよう、居住空間を配慮する ● 首のまわりを暖めるため、首にいつもタオルを巻いておくとよいことをアドバイスする
結核	空気感染	● 咳をしている人がいたら観察を続け、状態の変化に留意する
ノロウイルス感染症	経口感染 糞口感染	● 吐き気や嘔吐の種類を把握する ● 便の状態を把握する ● ノロウイルス感染は抵抗力の低下により起こるため、住民全員に手洗いを徹底するよう指導する

❸ 対象特性的側面からのアセスメント

　避難所住民のうち、特に気をつけてアセスメントすべき特性をもつ対象者は、以下のような災害時要援護者である。この人たちが2次災害にあわないように十分気をつける。

- 高齢者
- 障がい者（内部障がい者も含む）
- 乳児、妊婦
- 情報弱者（外国人など）

❹ 安全面的側面からのアセスメント

　安全面的側面からのアセスメントの具体的な展開方法を以下に記す。
- 安全を図るため、避難所内でチームワークを構築する。
- 避難所全体に目を向け、入所後3日目くらいに住民の居住空間の移動をするこ

とで、1人ひとりにあった住まい方の工夫を行う（見る、触れる、嗅ぐ、聞くなど、五感を働かせて）。
- 避難所に居住している人1人ひとりについて、どこで被災したのか、そのときどのような状態であったかなどを聞き取り、名簿をつくる。それをもとにハザードマップを作成し、住民から見えない事務所の壁などに貼って、安心・安全・快適性を考慮した避難所全体の危機管理を行う。
- ケアの必要な人とその支援を誰が行うかをリストアップし、快適な生活ができるように工夫していく。
- 避難所で活動している者同士のミーティングを行い、現状や課題を共有する。

❺健康問題的側面からのアセスメント

　支援者は、避難所住民は様々な健康問題をかかえていることを念頭において活動を行わなければならない。健康問題的側面からのアセスメントの具体的な展開方法を以下に記す。
- 慢性疾患・高血圧・糖尿病・精神障がい等を有する人、かぜ・肺炎の人を把握しておく。季節によっては食中毒などにも配慮する必要がある。糖尿病を有する人については、インスリンや自己注射針などが手元にあるかどうかのチェックもしておく。
- 避難所における顕著な健康問題として、食欲不振、不眠、便秘、精神状態不安定、いらだちなどがある。避難所住民にこれらの症状が現れていないか、注意深く観察する。
- 皮膚疾患のある人にはかゆみの有無などを把握し、感染を起こさないように気をつける。
- がん患者、難病患者、人工肛門装着者、在宅酸素療法を行っている人などが避難生活をしていることもあるので、現在の状況を把握し、2次災害を引き起こさないように気をつける。

■2──福祉避難所における看護職の役割

　福祉避難所における対象者別の看護職の役割を以下にまとめる。

❶高齢者
- 高齢者に寄り添い、話を十分に聞く。また、話し相手はいるかなどのチェックも行う。話をするときは、まず耳は十分聞こえるかや、どちらの耳より話したほうがよいかなどを確認する。
- 話すことよりも聴くこと、何かすることよりもそばにいることが大切である。相手が話しているときは、「何かを言わなくてはいけない」と思うのではなく、そばにいることが相手の安心感につながることを忘れてはならない。
- 信頼関係を構築する。
- 体調管理を十分に行う。
  - ・水分摂取が十分にされているか、チェックする。
    ⇒ 皮膚の状態が乾燥していないか、頻脈ではないか、口渇はないか、排尿の状態（尿量は少なくないか、濃くないか、尿比重は高くないか、など）をよく見て、異常の早期発見に努める。
  - ・排便・排尿の回数を把握する。
  - ・脱水徴候がないか、観察する。
  - ・常備薬をもっているか、確認する。
- 寝食分離を行い、生活リズムを整える。
- 清潔面に気を配る。
- 避難時に外傷を受けていないか、確認する。
- 血圧測定などを行い、環境悪化に伴う病状の変化を把握する。
- トイレや食事場所が遠すぎて、歩く負担になっていないか、確認する。
- 認知症の人の場合は、症状の特徴を把握して、現在の状態をとらえておく。
- 口腔ケアを充実させ、誤嚥しないように注意する。
- 散歩・運動などをできるだけ行うように指導する。

❷視覚障がい者
- 本人が動きやすい環境をつくるため、本人とよく話し合いながら生活環境をつくっていく。
- 視覚障がい者が避難所に居住している場合は、まず最初にトイレのある場所を把握していただく。歩いて何歩で到着するかを確認したり、壁伝えに歩き自分

の掌で繰り返し把握したりして、安全面に留意しながら身体的に把握するようにしていただくとよい。
- できれば、避難訓練をしておくようにする。

❸聴覚障がい者
- 支援者は50音表（A3用紙に書いてもよい）を常に持参し、いつでもコミュニケーションをとることができるようにしておく。
- 会話に難渋をきたす場合は、専用ノートに記載するようにする。記録を残すことは、その後も中長期にわたって役に立つことがある。
- 笛を手元に置いておいてもらい、困ったときには他者を呼べるようにしておく。

❹外国人
- 日本語を理解しない外国人は、言葉の壁があるため情報を入手しにくく、避難所生活に苦労することが予測できる。通訳できる人を早急に見つけることが大切である。
- その人は何語が話せるかを聞いておく。英語が話せるようであれば、支援者は片言英語でもよいので話をするようにすると、距離が近くなり、コミュニケーションを図りやすい。
- FMラジオ等を通して外国人が現状を把握できるように配慮する。

❺乳幼児
- 避難所は周囲に人が多く、生活リズムが乱れやすいが、なるべく規則正しい生活をおくれるように配慮する。
- 被災した乳幼児は退行現象が起こりやすいことを知っておき、受け止めていくことが大切である。
- 乳幼児が夜泣きすることがあるが、このような状況では異常ではないことを親に伝え、親が他者を気にして子どもを叩いたりしないように話しておく。
- 吃音(きつおん)(どもり)、不眠、チック症状に留意する。
- スキンシップを十分に行い、自分はいつも誰かに目を向けられていることを感じさせるようにする。

4●被災地における協働のあり方

■1──連携(ネットワーク)とは何か
災害時に1人の人として被災者のいのちを重んじるためには、支援者間の協働(連携)が重要である。

❶ネットワークとは
ネットワークとは、一般的には同一目的をもった網状の組織で、特にテレビ、ラジオなどの放送網のことをいう。ネットワークとは連携(同じ目的をもつ者が互いに連絡を取り、協力しあって物事を行うこと)である。それにより、個人の価値観に基づく生活様式を重んじることができる。

❷ネットワークの資源
被災者の1人の人としてのいのちを重んじるときに重要になるのは、ネットワークの資源である。支援者はそれをうまく活用することが大切である。

ネットワークの資源とは、「力」「情報」「勇気」「いのち」「利益」「人的財産」である。これらの資源を被災者1人ひとりのニーズにあわせて活用していく。

❸ネットワークの手段
ネットワークでは、お互いに共通の基盤をもったうえで、個人同士が自立的な相互依存関係をもつこととなる。"自立的"であるという点が参加の自主的判断の尊重であり、この前提のもとでの相互依存は互酬という行為で具現化される。

相互依存という仕組みにおいては、「場」という枠組みへの従属ではなく、何らかの属性「資格」を保持すべしとの要求が前提となるといわれているが、小集団の中で社会化しようと思ったときには、やはり場の提供はケアの資質向上につながってくる。災害後に場の提供をすることで、被災者にとっては「生きていける場がある」ということになり、それがその人の生きる力、これから歩む道標となることもある。その人にあったそのような場を発見することが重要である。

❹ネットワーク（構造の）社会の本質的な要素とネットワークの重要性

　ネットワークで重要なことは、そこに「いる」ことではなく、そこで「どういう役割を果たせるか」「果たすことが（暗黙のうちに）期待されるか」である。これは、災害時に困っている人がいる状況では、大変重要なことである。

　支援者は、人間が地域のなかで暮らしているということ、暮らしている人間が地域のなかにいるということを理解しておかなければならない。災害が起こってその地域が喪失し、暮らす場がなくなってしまうこともある。そのような状況下にあっても、被災者がこれまでと同じように地域のなかでその人らしく生きるためにはどうすればよいのか、またそのためには支援者はどのようにして連携を図っていけばよいのかを考えていくことが大切である。地域がなくなり、親類や知人が亡くなってしまった状態にある人は、生きる気力がなくなってしまい、人との接触を断ってしまうことがある。どのように支援すれば、その人がほかの人と関係をもつことができるかを考察していかなければならない。

■2──連携のポイント

　災害で助かったいのちをより深く生きていっていただくために、支援者はどのような点に注意して連携を図っていけばよいのだろうか。

❶気づき

　避難所や仮設住宅などでの支援の際に、最も大切なことは"気づき"である。支援者の気づきの有無により、被災者の1人の人としてのいのちが左右される。避難所や仮設住宅全体を見渡して、いま何が大切なのか、被災者は何を望んでいるのかに気づくことが大切である。

❷観察

　気づきは観察から始まる。観察とは、相手にとっていま何が必要なのかを判断することである。観察するときに重要なのは、全体のなかの個を見るようにすることである。その人の表情から、その人のいまの状況を判断することも大切である。

　観察したことを支援者がどう分析するかによって、被災者の人としてのいのちが救えるかどうかが左右される。よって観察と分析は大変重要であり、支援者の感性の豊かさに連動する。避難所においては、特に五感を働かせることが大切である。

❸分析

　観察後の有効な分析が、被災者のいのちを救う。被災者は一見同じようであっても、背景が異なっていたり、年齢によってもおかれている状況に違いが出てくることがある。

❹行動

　分析したら、次に行動につなげる。誰とどのような形で接点を結べばよいか、誰と協働して支援を行えばよいかを考え、実行することが、支援者の役割である。連携といっても、相手は誰でもよいわけではない。誰と行動を共にするのが最も重要であるかを考えながら、行動に移行することが必要である。

❺連携

　分析結果を有効に使えるか否かは、連携のあり方にかかっている。ある問題が浮かび上がったら、それを解決するにはどこにもって行けばよいのか、先に話しておいたほうがよいのは誰か、事前に関係者に交渉しておいたほうがうまくいくのではないか、などを考えて、行動に移行する。何をどのようにすればよいのかを一連の支援の流れのなかでしっかり構築して、連携することが大切である。

❻評価と検証

　連携をとった後は、次に生かすためにも、実施したことの評価と検証を行うことが重要である。目的・目標をもって実施できたかどうか、しっかり向き合って評価を行い、そのなかで出てきたことの1つひとつについて、「なぜ」という根拠をもって評価していく。

評価は、自己評価、チームでの評価、向き合った被災者からの評価など、様々な視点からできる。しかし、暮らしに視点を当てて評価することを、決して忘れてはならない。どのような状況下にあっても、暮らすことを失ってしまえば、生きている意味がないからである。

■3──避難所・仮設住宅における連携（ネットワーク）の実際

　問題が生じた場合は、地域にどのようなネットワークがあるかを考えてみる。地域には様々な社会資源がある（**図10**）。この資源を有効に使用しながら、困っている人が安心・安全・快適に暮らせるように調整していく。

　災害発生から2週間程度経過すると、避難所には様々な問題か浮上してくる。支援者はその問題に向き合ったとき、決して1人で解決しようと思わなくてよい。様々な人と連携していくなかで問題を解決していくことがいちばん効果的であり、また、支援者にはなじみのない土地においては、地元の社会資源を大いに有効に活用することが重要だからである。連携の際に大切なことは次の3点である。

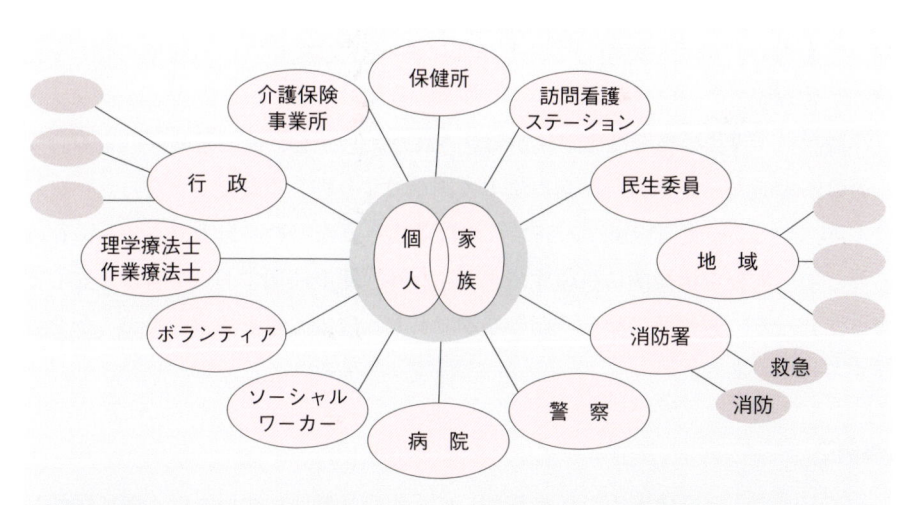

支援者の知縁とコミュニティの地縁とをどのように結びつけて、被災者1人ひとりが「生きる」ための支援をしていけばよいかを考え、その人らしさを尊重したケアの展開を実践する

[図10] 情報を得たうえでの、その人にあった支援の工夫

> ①被災者1人ひとりのニーズにあった連携を心がける。
> ②全体をとらえて、今後に向けての連携のあり方を考える。
> ③被災者1人ひとりのニーズにしっかり向き合い、目的に最も適した連携の相手を選択する。

事例1

　避難所で生活しているA氏（65歳）は、入所当初は自分でトイレに行っていたが、次第に自立ができなくなってしまい、トイレに行くときにはボランティアの手を借りなければならなくなった。しかし、A氏には何とか自分の力でトイレに行きたいという強い要望があった。このような場合、どのように支援をしていったらよいだろうか。

[対応の実際]

　避難所に地元の保健師が常駐していれば、まずはその人に相談する。地元の保健師がいない場合は、行政職の事務担当者に地域包括支援センターに連絡を取ってもらい、現状を説明して、その人にあった支援メニュー（援助方法）を提供してもらう。

　実際には、A氏の場合はまず杖が用意された。しかし、杖で避難所内を歩行するのは不安定だったため、作業療法士の調整により押し車に変更となった。これにより、A氏は避難所内をスムーズに歩けるようになった。自力でトイレに行けることで、水分を積極的に摂取するようになり、健康問題においてもひと安心となった。一方、避難所の狭い空間のなかで、どこに押し車を設置しておくかを考慮する必要もある。

事例2

　M氏（80歳）は避難所内で杖歩行をしているが、避難所のいちばん奥に居住していたため、トイレに行くのに不自由していた。また、周囲の人たちの頭下を杖を突きながら歩くことに気が引けていた。「集団生活は嫌だ。家に帰りたい」と

言い、半壊している家に帰ろうとしたり、食事も水も摂らず、1日中口を開くこともなく、避難所の隅で座り込んでいた。M氏は「避難者たちの枕元を、杖をつきながら歩くことがとてもつらい。できればトイレに近い場所に移動させてほしい」と言っている。このような場合、どのように支援をしていったらよいのだろうか。

[対応の実際]

　まず、本人の言うことに耳を傾けることが大切である。そして、避難所全体を見渡し、M氏への支援の必要性を認めたら行動に移す。本人の言い分だけで動くのではなく、必ず全体のなかでの支援の必要性の優先度を図ってから行動に移すべきである。ほかの人たちが「私も、私も」と次々に言い出したら大変だからである。

　このケースでは、他者と本人との関係をトータル的に考え、M氏をトイレの近くに移動させることにした。移動を決めるにあたっては、支援スタッフ全員が集まるミーティングで話し合った。移動先は、風が当たらず、トイレに近く、できる限り夜ほかの人の頭近くを歩くことがないような場所を選んだ。居住場所の移動ができるのは、避難所開設後24〜72時間が経過した時期である。一度場所の変更をして様子を見て、まだ不自由があるようならば再度変更する。本人が狭

い空間のなかでも安心して生活できるように考えて支援することが大切である。
　また、M氏のようなケースは、福祉避難所に移住させることもできる。避難所には行政職の事務担当者がいるため、相談して、本人が安全・安心・快適に過ごしていただけるように配慮する。移住後は、本人に福祉避難所の居心地はどうかを必ず聞くようにして、支援者の思いだけで移住させることがないように注意することが必要である。

事例3

　避難所の子どもたちは、狭い空間内で遊ぶこともできない状態である。避難所内で大きな声を出したり走ったりすると、大人から「やめなさい」「うるさい」「静かにしなさい」といつも制止される。子どもたちにも言い分があり、自由に遊びたいと思っている。両者の気持ちを汲み取り、避難所の人たちがよい関係でいるためにはどうすればよいか、考えてみよう。

［対応の実際］
　大人だけでなく、子どもの言い分も聞くことが大切である。子どもたちも被災にあっているのであり、様々なことを考えて日々過ごしていることを忘れず、思いを汲み取ることが支援者の役割である。子どもたちは、自分の意見をしっかりもっているのである。

このケースでは、避難所内に子ども部屋をつくると共に、子ども会議を開催した。その際に、避難所での居住者の状態と、避難所はどのようなところかを、子どもたちに話して聞かせた。集団生活であるからこそ、どうすればみなが快適に過ごせるかを子どもたち自身に考察させることが重要である。

　子ども会議の後、昼間に避難所にいる高齢者と子どもたちがお互いに話ができるように工夫した。このことは、両方にとってよい結果となった。最もよかったのは、昼間避難所に残っている人全員で、時間を決めて体操を実施することができたことである。生活不活発病の予防にもなり、よいアイデアであった。

　また、子どもたちに役割分担を与えた。例えば、朝・夕の食事開始のときに、子どもたちが前に出て、マイクを使って「ただいまから食事を配ります。順番に前に出てきてください」とアナウンスするのである。これは子どもたちにとって思いがけない役割であり、はじめは照れていたが、次第にしっかりマイクを握ってアナウンスができるようになった。それを聞いていた大人たちにも笑顔が出ていた。

　このようにして、事例の1つひとつを大切にしながら、相手が生きるためには、どのような連携・協働がとれればよいか、いまここでできることは何かをしっかり考えて支援を行うことが大切である。被災者1人ひとりとしっかり向き合うことで、問題解決につなげていくことができる。資源の活用方法はたくさんあるが、その方法をスムーズに発見できるようにしたいものである。そのためには、各自がもっている五感をフルに働かせることが必要である。

　医療機関、保健所、行政、警察、社会福祉協議会、消防、ヘルパーやその地域のキーパーソンなどへボランティアの声をつなぎ、問題に応じて幅をもたせて他職種との連携体制を整え、人間不在にならないような支援のあり方を考察することが、何より大切である。

（黒田　裕子）

避難所での支援の際の気配りのポイント

1●食事

　食事に関する看護支援のポイントを以下に示す。
- 避難所では、自衛隊が食事の用意をしている間は栄養に偏りはないが、自衛隊が撤退した後はどうしても炭水化物や揚げ物が多くなり、栄養に偏りができてしまう。なるべくバランスのよい食事ができるように工夫していくことが大切である。
- 消化のよい食材を用いて、硬すぎたり、熱すぎたり、冷えている食事にならないように、炊き出しをしている人や食事をつくっている人に働きかける。
- 夏季の場合は避難所で食中毒を起こしやすいため、避難所住民が痛んだ食べ物を口にしないよう注意が必要である。
- 避難所住民のなかには、病気などで治療食を必要としている人もいるだろう。避難所でも糖尿病食や腎臓病食は支給される。これらの人の症状が進んでいないか、横になっていることが多くないか、便秘をしていないか、口内炎はできていないか、体調は普段と変わりないか、などをよく観察する。異常が見られたら、巡回診療をしている医師に診察を依頼する。
- 避難所では活動範囲が狭くなるため、運動不足が生じ、それが食欲不振にもつながる。狭い場所でも規則正しい生活のリズムがつくれるように、食べる場

所と寝る場所を分けることが必要である。運動が必要な人には声かけをして、1日3回適度な運動をするように指導するが、無理な運動にならないように留意する。

2●トイレ

避難所はもともと生活をする場ではないので、トイレの数が被災者数に比べて非常に少ない。また、トイレまで遠い、歩くのが大変、和式便器が使いにくいなどの理由で、トイレに行くことを控える人がいる。特に高齢者は、トイレに行かないように水分摂取を控えることが多いため、以下のような対応が必要である。

- トイレに行く回数を観察し、回数が少ないときはどこに問題があるのか考える。何らかの理由でトイレに行きづらいと思っている場合は、遠慮せずに支援者に相談するように説明する。
- 高齢者の脱水は、いのちの危険にかかわる。水分摂取を控えている人は、脱水症や静脈血栓塞栓症（エコノミークラス症候群）、廃用症候群などになりやすいことを具体的に説明し、水分を摂るのを我慢しないように伝える。乾燥状態にも注意が必要である。
- トイレに行く回数が多いときは、下痢が考えられる。感染症の可能性があるほか、下痢から脱水症状となり、心臓系の病気につながることもあるため、気をつけて観察を続ける。

3●衛生管理

❶ゴミ処理

- 室内のゴミ捨て場所のゴミ箱が溢れ出ていないか、ゴミが入り乱れていないか、臭いがしていないか、などを確認する。
- ゴミ箱に汁物などがいっしょに入っている場合は、分けて別のところに入れられるように配慮する。
- ゴミ箱を扱った人は手を十分に洗い、雑菌を他者にうつさないように気をつけるよう指導する。

❷口腔ケア

- 水不足により歯磨きができなかったり、入れ歯を使用している高齢者が口腔内の清潔が保てなかったりすることで、口腔内に菌が繁殖しやすくなる。その菌を飲み込むことによって、誤嚥性肺炎を起こしやすい。口腔内を常に清潔にしておくことが重要であるため、うがいや歯磨きをこまめに行うよう指導する。水が使えないときは、市販の口腔洗浄液や入れ歯消毒錠などを使用する。

❸保清

- 入浴ができない場合、特に夏季は汗により皮膚疾患にかかりやすくなる。ウェットティッシュなどを使用して体を拭くなど、保清方法を工夫する。特に、皮膚が重なる部分や陰部は優先的に拭いて、清潔に保つ。
- 1人では体を拭くことができない人は、遠慮せずに看護職・介護職に声をかけるように説明する。

4●服薬

　日本は高齢化が進んでおり、さらに地方で災害が発生した場合は、都市部での災害よりも被災者の高齢化はより高いことが特徴といえる。高齢者は既応症や合併症をもつ人が多いため、服薬管理は看護職の大切な役割である。

- 避難時に服用を1日も欠かすことのできない高血圧や糖尿病の治療薬をもって逃げられなかった人は、薬を飲めないことに加えて、避難生活のストレスによ

り、病状の悪化につながりやすい。また、薬をもっていても、正しく服用していなかったり、正しく管理できていない人もいる。薬をもっているか、正しく服用しているか、薬の不足はないかをまず確認することが重要である。
- 既応症や病気についての情報を得て、本人がどこまで病気のことや飲んでいる薬について理解しているかを確認する。その理解の程度に応じて、薬を正しく飲めるように、その人にあった方法を考えていく。

5●障がい者や外国人、歩行にハンディキャップをもつ人へのケア

❶聴覚障がい者、外国人
- 聴力低下や意思伝達能力に支障がある人（高齢者、外国人を含む）は、情報収集に支障をきたしやすいため、コミュニケーションをとる方法を工夫する。
- 音声言語獲得後に何らかの理由で聴力を失った中途失聴症の人は、発声は不自由なくできるので、聞こえないということが周囲の人には理解されにくく、"誤解されやすい障がい者"といわれている。このような人に対しては、筆談などコミュニケーションをとれる方法を考える。
- 日本語の通じない外国人には、通訳を依頼したり、防災局の2か国語放送や外国人居住者ネットワークを紹介する。

❷視覚障がい者
- 視覚障がい者は、これまで自身が長年培ってきた感覚が災害により一瞬にして崩れ、全く違った環境のなかで生活をしなければならなくなるということを理解し、支援していくことが大切である。
- 視覚障がい者は壁伝いに歩くため、歩行時に障害となるものがないかを確認して、適した居住場所を提供する。
- 触れたら音が鳴るなどの工夫をして、場所の確認ができるようにする。

❸歩行にハンディキャップをもつ人
- 車いすの人や杖を使っている人など、生活必需品の支給時や炊き出し時に食事などを歩いて取りに行くことが困難な人には、配慮が必要である。

6●子どもへのケア

- 支援物資のなかには菓子類も多く、身近にあることから、子どもは食べたいときにいつでも食べることができる。その結果、虫歯になりやすい。しかし一方、菓子を食べることは子どもにとって楽しみでもあり、ストレス解消にもなる。菓子は時間を決めて食べるようにするなどして、規則正しい生活習慣を指導する。
- 避難所のトイレは外にあることが多く、年少の子どもたちは、夜間の暗いなか、怖かったり、和式トイレに慣れていなかったりするため、トイレに行くのを我慢するのはよくあることである。しかし排尿を我慢し続けると体を壊すため、「いっしょにトイレに行くから、行きたいときは声をかけてね」などと言って、子どもにトイレを我慢させないことが大切である。
- 高学年の子どものために、周囲に気兼ねなく勉強できる場所を避難所内に設置する。
- 子どもも地震により大きなストレスを受けており、夜泣きをする子もいる。子どもが怖がらないようにやさしく話しながら、スキンシップを図る。
- 被災のショックやストレスで不眠となり、注意力が散漫になる子どももいる。危険と思われるときにはしっかり注意をする。
- 子どもは遊ぶことで心のうちを表出するといわれている。体育館などの狭いところにずっといるよりも、外に出て積極的に体を動かすように働きかける（筆者は子どもたちと外に出て、サッカーなどのボール蹴りをして遊ぶようにしている）。ときには、保育士や学校の担任の先生に来所してもらったり、ボランティアと遊ぶことも大切である。

7●乳幼児を抱えた母親へのケア

- 乳幼児を抱えた母親は、多くの人がいる避難所のなかで、まして、他人ばかりのなかでは授乳しづらいうえ、被災のショックで母乳が止まってしまうこともある。授乳中の母親が周囲の目を気にせず安心して授乳できるように、母親が使える部屋を確保する。

- ミルクや紙おむつは足りているか、母子ともにゆっくりと休めているか、授乳中の母親は普段と同じくらい母乳が出ているか、被災前と同じくらいおっぱいが張るか、子どもがいつまでも（左右各3分くらい過ぎても）おっぱいを離そうとしなくはないか、子どもが泣く時間の間隔が短くなっていないか、便がいつものように出ているか、などを質問し、状況を確認する。
- 子どもたちが、ちょっとした音や振動などで大きな声で泣き出すことがある。2004年の新潟県中越地震では、夜になると子どもが突然泣き出し、近くにいる人から「静かにさせろ」と怒鳴られたことが原因で母親がうつ状態になり、入院してしまったケースがあった。数日間ならば避難所の人たちもお互い様と我慢するが、連夜長く続くと我慢できなくなる。指しゃぶりを始めたり、お漏らしをするようになったり、赤ちゃん返りが目立つようになる子も出てくる。そのため、母親が周囲を気にして、必要以上に子どもに注意したりするようになる。そのような場合は、赤ちゃん返りは地震によるショックで一時的であることを話し、叱らずに子どもとのスキンシップをもつように両親に説明する。また、ときには子どもを預かり、母親がゆっくり休める時間・環境をつくることも必要である。

（黒田 裕子）

Column

被災した人の声は聞こえていますか？
——その人に寄り添った支援を

　超巨大地震・超大規模災害となった東日本大震災から1年4か月が経過したいま、私たちには被災された方の人間としての生の声が聞こえているでしょうか。

　筆者は震災発生の翌日から、数十回にわたり被災地に入っています。避難所では、また在宅でも、多くの被災者の方々が狭い空間のなかで、不自由な生活を余儀なくされていました。現在でも、仮設住宅の住民は困難な日々を過ごしていらっしゃいます。

　私たち看護職の支援活動の原点は、どのような状況下にあっても、その人らしさを尊重し、その人の価値観を重んじながら、いまを生き切っていただくために、1人ひとりの被災者と魂を込めて向き合うことです。筆者は、「人間」と「地域」と「暮らし」が一体化するなかで、その人らしさを尊重したケアのあり方を考えることをモットーとしています。互いに「個」の人間として、その声をきっちり聞くことで、その人らしさを尊重した支援につながると信じています。

　看護職の支援活動のもう1つの原点は、避難所や仮設住宅で暮らしている高齢者や障がい者は、被災者である前に人間であること、また私たち看護職も、支援の担い手である前に1人の人間であるということ、を忘れないことです。支援者は、被災者と共に歩むために、その人の「人間としての声」を聴こうとして耳を澄まします。その声には重みがあり、そして様々なニーズがあります。亡くなった人の分まで「生きていかなくては……」という声を心の奥深くから発しているのです。いつの日もその声に関心を寄せて、周辺の者がその声に真剣に向き合うことからケアが始まります。災害に遭っても、どのような状況下にあっても、人間対人間の関係性のなかで、その人らしく生き切っていただけるように、きめ細

やかな目配り・気配りをしながら支援をすることが大切だと考えます。被災者を日々の生活のなかで支えることで、被災地であってもどこにいても特別ではなく、その人はその人であることを忘れないように、「人権」と「価値観」を重んじた支援のあり方を考え、その支援に意味づけをしながら実践に移すのです。

　災害時のケアには日ごろの看護観が現れます。それと同時に、日常のなかで活動に対しての意味づけをしっかりしているかどうかが、すべての別れ道ではないかと考えます。1人の人が生き切ることができたり、できなかったりするのは、被災者を中心とした人々の関係性が大きく影響します。つまり、連携です。

　ひとくちに連携と言っても、誰とつなげるかによって違いが出てくることを考えておかなければいけないことを、私は被災地での活動のなかで学びました。様々な学びのなかでいちばん考えたことは、相手のニーズをしっかり見るということです。見えないものであっても、見えるように努力することです。そして、相手と向き合うときには、しっかり聴くことです。"聴く"——その意味は「あなたの真意までも聞きます」ということですから、体を前に倒し、しっかりと聴く姿勢をもって聴くことが大切です。特に災害時には、相手の話をさらっと聞き流すのではなく、相手の気持ちに関心を傾けながら、最後の一言までも聴くようにすることが重要です。

　「被災された人だから、かわいそう」といった見かたは、上から目線になります。"支え合う"ことの意味を、自分にしっかり言い聞かせることが大切です。震災とは何かを考えながら、相手と向き合うなかで、さらに共創社会の誕生を願いたいものです。

（2012年7月　黒田 裕子）

Column
災害時の通信伝達手段なう

　2011年3月11日に発生した東日本大震災では、東北地方沿岸部500 kmにもわたる地域が巨大津波被害に遭い、長時間の停電により多くの電気通信事業者基地局が中断し、沿岸部は少なくとも1週間近く、携帯電話すら通信不能に陥りました。一方、警察無線は独自の通信網をもつためその機能は維持され、災害対策に役立てられていました。

　被災地内の多くの人々は、従来からある通信網（電話、電子メールなど）の途絶に大変な影響を被ったのですが、最も回復が早かったのはインターネットです。なかでも、最近普及し始めているtwitter（ツイッター）では、災害後2日目でも被災地内の被災者から被災地外の多数の人々へ救援メッセージが発信されていました。私自身も、被災地の外にいても「いま屋上に避難しています」「建物の3階に避難しています」というメッセージ（twitterでは"ツイート［つぶやき］"と呼ばれる）が位置情報と共に発信され、これまで受け取ることはあり得ない場所や状況でのメッセージをリアルタイムで受け取ることができました。つまり、既存のメディアでは取材による情報発信になりますが、twitterでは被害に直面しているその人が、被害状況の現実と真実を詳細に伝えることができるのです。

　また、東日本大震災後の被災地では、テレビを見ることができない時間が続いたときでも、被災地外の報道特番をUSTREAM（ユーストリーム）で流すことができました。私自身もラジオ福島からの電話取材に応じ、避難所で暮らすことに関する注意事項をUSTREAMで配信していただいた経験をしています。東日本大震災では、IPネットワーク技術を生かしたソーシャルメディアであるtwitter、 facebook（フェイスブック）、USTREAMなどがその情報伝達力を大いに発揮したといえるでしょう。

　Twitterやfacebookは、流された情報の真偽が確認できない場合や、訂正しようと思っても文字で流れてしまうと修正できない、設定によっては個人情報が公開されてしまうなど、熟知しなければ失敗につながる媒体でもあります。しかし、災害時にリアルタイムに情報提供と獲得が行えることが証明されたため、今後ますます有用性は大きくなるでしょう。今回の災害後、twitterでつぶやかれた情報は"ハッシュタグ[注]"と呼ばれる記号により分類ごとに整理され、URLに蓄積されていきました。

　震災後は、「#311care」のハッシュタグが「2011年3月11日に生じた東日本大震災・津波の被災者ならびに支援者向けに医療情報を提供するためのサイト」（図）となり、多くの人々はここから情報を獲得し、活用することができました。

（神崎　初美）

[注]ハッシュタグ

　#記号と、半角英数字で構成される文字列のことをtwitter上ではハッシュタグと呼ぶ。発言内に「#○○」と入れて投稿すると、その記号つきの発言が検索画面などで一覧できるようになり、同じ興味をもつ人の様々な意見が閲覧しやすくなる（例：#care→看護や介護に関する情報を共有できる）。

　ハッシュタグはtwitterユーザーが自発的に使用するようになったルールであり、ハッシュタグを使用するにあたってはTwitter Inc.への申請や登録は必要ない。#○○の前後に、半角スペースを入れるのを忘れずに！

（ツイナビ：Twitter公式ナビゲーションサイトより）

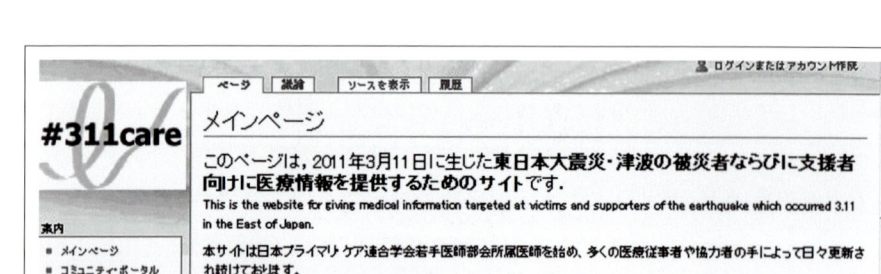

[図]「#311care」のハッシュタグのサイト（2011年3月11日に生じた東日本大震災・津波の被災者ならびに支援者向けに医療情報を提供するためのサイト）

第2章

事例から学ぶ 避難所・仮設住宅の 看護ケア

災害直後の避難所での支援から
仮設住宅での長中期支援まで
28事例を掲載

Case 1
トイレの状況

- 20XX年3月11日、マグニチュード9.0の地震とそれによる津波により、Y地域は大きな被害を受けました。Y地域は寒さの厳しい地域にあります。都会から離れた田舎で、交通の便も悪く、人口の高齢化が進んでいます。もともと医療機関が少なく、医療過疎地と呼ばれていました。
- 災害から5日目、Aさんは遠方地域から被害が大きかった被災地の避難所（地元S中学校の体育館）に、所属病院からの医療派遣メンバーの1人として、2週間の滞在予定で支援にやってきました。
- 体育館には約500名の被災者が避難しています。
- 避難所のトイレは、体育館入り口の扉から外に出て10メートル程度歩いた場所にあります。男性用・女性用ともに屋外に和式便器が2つずつ設置されていますが、いずれも汚れています。

Q このようなトイレの状況に、Aさんはどのように対応していけばよいでしょうか？
具体的な方法をあげてください。

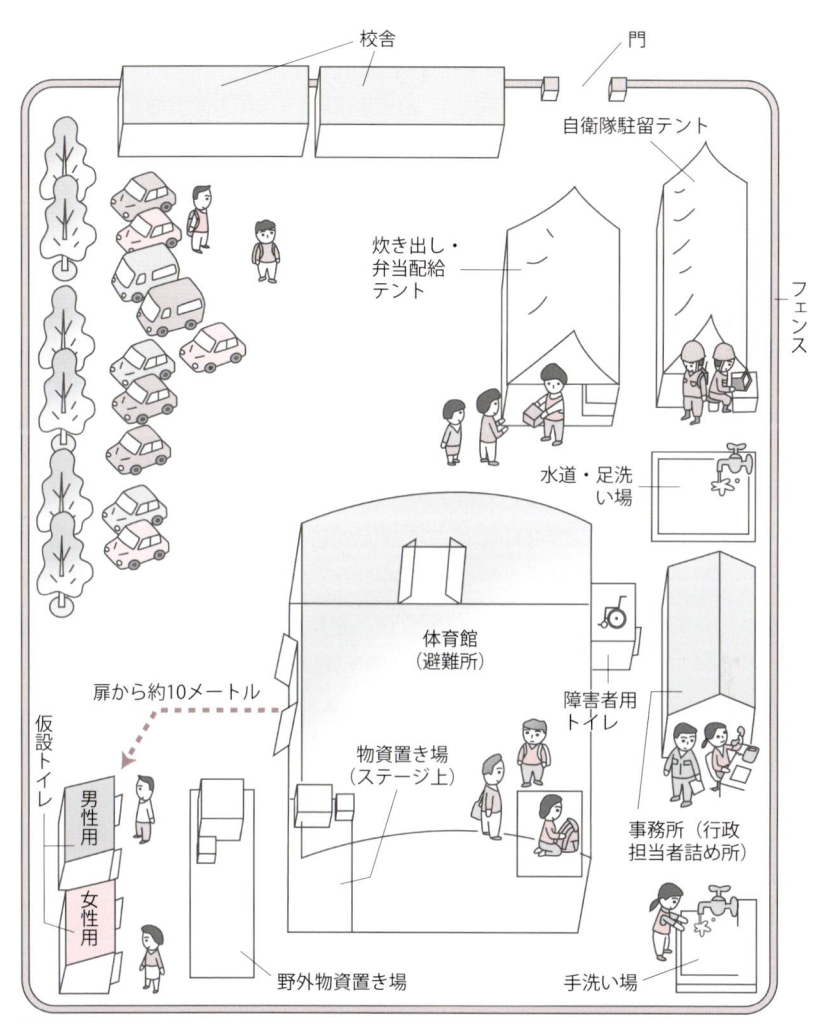

[図1] 避難所になっているS中学校体育館とその周辺の見取り図

Case 1　トイレの状況

Case 1 [解説]

1. 現状のトイレ環境を確認し、必要時はトイレの増設を依頼する

　トイレは体育館の外の屋外に設置されています。そこまで1人で歩いて行けそうもない人はいないか、確認しましょう。困難そうな人を見つけたら、家族などの支援者がいるか確認し、いない場合は看護職などが支援します。また足腰の弱っている人など、和式便器で用を足すことができない人のために、早急に洋式便器の設置を行政職員に依頼することが必要です。

2. トイレ掃除をする

　衣食住の生活の場である避難所ですから、避難所住民全員が同じトイレを使うことになります。限られた数のトイレが相当の回数使用されるため、トイレは避難所開設3日目ごろには大変汚れてきます。しかし、この時期には、上下水道が使える状況にはなっていないことが多いと予測できます。汚れたトイレを使用したくなくて、避難所住民はトイレに行く回数を減らす——つまり水分を控えたり、便意を我慢したりします。その結果、尿路感染症（膀胱炎など）、脱水症、静脈血栓塞栓症（エコノミークラス症候群）、廃用症候群（生活不活発病）などを誘発することになります。

　このような事態になる前に、看護職は住民自らが掃除に取り組めるよう働きかけましょう。しかし、被災したばかりの人にとっては、それは簡単なことではないかもしれません。まずは、看護職自らが率先して掃除をして、その姿を住民に見せながら、協力者を募っていくとよいでしょう。

　トイレだけでなく、避難所の掃き掃除、拭き掃除、布団干し、支援物資のある領域の片付けなども、住民自らが行うように働きかけます。子どもたちを誘って掃除するのもよいでしょう。子どもは役割を与えられると、生き生きと仕事をこなしてくれたりもします。

（神崎 初美）

Case 2

避難所内での靴の扱い

- 避難所となっている体育館は入り口で靴を脱ぐ仕組みにはなっておらず、避難してきた人は土足で避難所内を行き来しています。自分の居住空間に毛布やダンボールを敷き、そこに上がるときに靴を脱ぐ、という状況で生活しています。
- 就寝時には、床の毛布の上に布団を敷いて寝ています。
- それぞれの住民が思い思いに床に自分のスペースを確保しているので、体育館全体に毛布が乱雑に敷かれている状態です。体育館内を移動するときには毛布と毛布の隙間をぬって歩かなければならず、毛布を靴で踏んでしまい、泥がついて汚れているところもあちこちに見られます。

Q このような状況で、Aさんはどのように対応していけばよいでしょうか？
具体的な方法をあげてください。

Case 2 [解説]

1. 住民が土足で過ごしている環境を改善させる

　災害が生じると、被災者は着の身着のままで避難所にやってきます。靴を脱いで入る決まりになっているはずの場所でも、混乱のなかで、多くの人が土足のまま入っています。避難所では衣食住が同一の環境となるため、土足が続くと土ぼこりが舞い、手指も汚れ、様々な悪影響を引き起こします。気管支炎や喘息悪化の原因にもなります。一刻も早く、靴を脱いで過ごす居住環境にすることが必要です。

　避難所を運営管理している地元スタッフに、土足の弊害や靴を脱いだ生活をすることの必要性を速やかに伝えます。このとき注意したいのは、外部から支援に来た場合には、避難所での活動開始直後に話すのではなく、ある程度地元スタッフと会話を交わし、コミュニケーションがとれてから本題に入ることです。地元スタッフに「外部の人間がいきなり何を言い出すんだ」という感情をもたれないよう、人間関係を構築してから進めていきましょう。

　靴を脱いで生活する避難所にするためには、住民1人ひとりが靴を入れられるビニール袋を用意することが必要です。靴を出入り口に置いたままにしておくと、紛失したり盗難にあったりして、トラブルの原因になります。ビニール袋がなければ、避難所にいる行政担当者に依頼しましょう。入り口でビニール袋を配布して、そこで靴を脱いで袋に靴を入れ、自分の居住空間にもって行くようにするとよいでしょう。ビニール袋に名前を書いておくルールにすれば、靴の取り間違いが少なくて済みます。

　可能であれば、入り口の外に靴箱を用意するとよいでしょう。この場合は、靴の取り違いを防ぐため、靴箱に置いている間は、靴のなかに持ち主の名前が書かれた札などを入れておくようにしましょう。　　　（神崎 初美）

Case 3

避難所の場所取り

- S中学校の避難所に、次から次へと近隣住民が避難してきました。
- 若い人や元気な人ほど早く到着し、トイレ・窓の近くや角など避難所内の居住条件のよい場所を確保しています。高齢者、病気や障害をもつ人、小さな子どもがいる人など援助が必要な人ほど到着が遅れ、結果的にスペースが残っていた入り口付近に集まってしまっています。
- 入り口付近は人の出入りが多いだけでなく、外気が入ってくるので寒く、このままでは、要援護者に2次的合併症が起こりそうに思えます。
- 避難所内の居住のあり方については、看護職がコーディネーターとなって調整していくべきだということを、Aさんは以前受講した災害看護の研修で学んだので、何とか対策をとらなければならないと思っています。

Q このような状況で、Aさんはどのように対応していけばよいでしょうか？
具体的な方法をあげてください。

Case 3 [解説]

1. 災害時要援護者が居住条件のよい場所へ移動できるようにコーディネートする

避難所では、先に到着した人から条件のよい場所を広く確保していきます。しかし、逃げ遅れて後からやってくる人ほど、援護が必要な人が多いのです。居住条件のよくない場所に、トイレへの歩行や日常動作に配慮や支援が必要な要援護者がいた場合は、居住場所の移動を検討する必要があります。コーディネーターの役割を担う看護職は、条件のよい場所にいる健常な人に事情を説明し、場所を譲ってもらうなどの調整の役割を担います。

このとき、相手の方に十分説明し、快く受け入れていただけるようにすることが大切です。しかし、なかなか応じてもらえず、難しい交渉になりそうな場合は、避難所にいる行政担当者、自治会長、避難所リーダーなどに相談し、協働して進めるようにしましょう。

(神崎 初美)

❓ プチ問題

「ほかの避難所にいる人が、こちらの避難所に移りたいと言っているのですが……」という相談を受けました。どのように対応すればよいでしょうか？

▼

避難所を管理しているのは誰かを把握しておくことがポイントです。学校体育館は、主には校長や行政職が管理していますが、自治会も関与していることがあります。コミュニティセンターは、自治会管理のことが多いようです。管理者と思われる人に相談し、指示を仰いでください。

Case 4

食料がない

- 災害から6日が経過しましたが、支援物資の到着が遅れており、避難所は相変わらず食料が少ない状況が続いています。
- 避難してきた子どもたちのなかには、「おなかがすいた」と泣き叫んでいる子もいます。
- この先いつ、支援の食料が届くのかさえもわからない状況で、大人にも不安な様子がうかがえます。

Q このような状況で、Aさんはどのように対応していけばよいでしょうか？
具体的な方法をあげてください。

Case 4 ［解説］

1. 食料が備蓄されていそうな場所を探す

　まず、食料が備蓄されていそうな近隣のスーパーマーケットやコンビニエンスストア、病院、会社などを、手分けして探してみましょう。

　その際、自分たちだけで活動するのではなく、避難所住民にも働きかけ、いっしょに食料確保の努力をするようにするとよいでしょう。また、車を所有している避難所住民に協力を依頼し、少し遠方にまで足を延ばして食料を探すことも必要です。

2. 炊き出しを行う

　炊き出しを行うのもよいでしょう。そのために必要な食材や調理器具を調達します。

　避難所住民が各家庭から持参したお米を集めて、おにぎりをつくることもできます。お米は、電気が復旧していれば炊飯器で、なければカセットコンロと鍋で炊きます。

　衛生面を考え、ご飯はラップフィルム（サランラップなど）の上から巻くようにします。特に夏季は、おにぎりを握った手が汚染されていたため食中毒が発生した、というケースもあるので、注意が必要です。

　おにぎりに使う塩や海苔、梅干しは、被災者の自宅を訪問して探すこともできます。汗を多くかくような時期は塩分摂取が必要ですし、食中毒予防のためにも梅干しは効果的です。しかし、避難所の食事がすでに塩分量が多い状況の場合は、塩分の過剰摂取には注意が必要です。

3. 避難所を巡回し、避難所住民の健康状態を確認する

　避難所住民の健康状態のチェックは、看護職の大切な役割です。飲水は生命維持に必要であり、飲水量や食事量のチェックは欠かせません。

　幼児は欲求が強く、自制が弱いということ、成長期の青年はエネルギー必要量が大きいこと、反対に高齢者はあまり食べないこと、災害のショックで食べることができない人もいることなどを考慮し、成長発達段階やエネルギー必要量に応じたヘルスアセスメントを住民1人ひとりに行っていくことが必要です。

4. 物資の過不足を確認する

　物資の不足を把握し、調達するのは行政職であり、物資管理は行政職の仕事です。しかし、食料の配給は"被災者の健康を維持する"目的で行われます。人々の健康維持のために必要な物資を把握できるのは看護職であるため、物資の管理には看護職もかかわるのが適しています。

　物資が届いた際に、行政担当者に「○○については看護職が管理します」とか、「水や食料が届いたら、看護職にも教えてください」というように提案するとよいでしょう。

　過去の災害では、カップ麺やインスタントカレーの支援物資が来ていたのに、「避難者全員に平等に行きわたらないから」という理由で、すぐに配布されない問題が起こりました。「平等にしないと争いが起こるので、配布しない」という考え方もわかりますが、被災者にとってはせっかく届いた貴重な食料なのですから、平等を優先するばかりではなく、分け合うとか、優先度を検討するなどして、ぜひ有効活用してほしいものです。

（神崎 初美）

❓ プチ問題

支援物資としてお菓子が届きました。避難所では炭水化物中心の食事になっていて、健康への影響が心配されているのに、さらにお菓子を配ってもよいのでしょうか？

▼

災害から日数が経過すると、支援物資としてお菓子も届くようになりますが、健康への影響を考えながら配給することが大切です。しかし、お菓子の配給が被災者の癒しとなることも多いので、状況を考え、健康維持に配慮しながら配るようにするとよいでしょう。

災害派遣ナースとして避難所で活動し、明日帰る予定です。病院に戻ってからの活動報告用に、避難所の写真を撮ってもよいでしょうか？

▼

被災地での自分の活動や被災地の状況を撮影することは、ためらわれるものです。ためらう感情がない人は、反対に無神経かもしれません。一方で、活動の記録として現実を残すということも必要です。ですから、時と場合と写真撮影の必要性をよく判断し、いま撮影してもよいかを考えてください。
カメラを避難所や被災者に向けて、受け入れてもらえる状況かをまず判断しましょう。自分で判断するのが難しければ、避難所で活動する別の看護職か、相談できそうな人に聞いてみてください。そのとき、撮影の目的と利用先をしっかり説明する必要があります。撮影する際は、人が特定されないようにするか、許可が得られた人のみ撮影するようにしましょう。

(神崎 初美)

Case 5

情報が届かない

- 災害から1週間が経ちましたが、S中学校の避難所の周辺地域は通信手段が寸断されたままです。電気も復旧していないのでテレビも映らず、外部からの情報はラジオを通してのみ入手できる状況です。
- 被害状況だけでなく、いつ支援物資が届くのか、風呂にはいつ入れるのか、医療班はやってくるのかなど、生活に直結する情報もほとんど住民には知らされておらず、住民の間では様々な憶測が飛びかっています。「国はこの地域を見捨てた」などという無責任な噂にまどわされて、パニック状態になっている人も出てきています。

Q このような状況で、Aさんはどのように対応していけばよいでしょうか？
具体的な方法をあげてください。

Case 5 ［解説］

1. 避難所運営者と連携し、情報を避難所住民に適切に伝える

　まず、避難所を運営している人たちと交流をもち、連携することを試みてください。現在、被災者支援として行われていることについての情報を得ることができたら、避難所住民に適切に伝える方法を検討します。

　情報を提供する時期については、自分だけで判断せず、支援者（避難所運営者）同士でよく話し合い、決めていきましょう。

　避難所住民から聞かれたことでわからないことがあったら、「わかりません」と正直に伝え、「調べる努力をしています」と伝えます。その場しのぎの気休め発言はしてはいけません。

2. 情報が入ってこない状況ならば、直接取りに出向く

　待っていても情報が入ってこない状況ならば、直接情報を取りに出向くことが必要となります。

　役所など行政機関や病院、警察、近隣の避難所、ボランティアセンターなどに出向き、現時点で行われている被災者支援などの正確な情報を入手するとともに、予定されている支援の内容等についても把握するようにします。今後利用可能なサービスなどの有益な情報を入手したら、デマや風評を予防し、情報を正確に拡げるため、できるだけ詳細かつ具体的に内容を記述し、避難所住民に提示して伝えましょう。

（神崎 初美）

Case 6
薬の不足

- ●S中学校の避難所に避難してきた近隣住民の多くは、着の身着のまま逃げて来たため、薬を持参していない人が多くいます。
- ●家が津波に襲われ、薬が流されてしまったという人も少なくありません。
- ●避難所には、慢性疾患を抱えており、定期的な服薬が必要な高齢者もいるようですが、手元に薬がなく、「薬がほしい！　何とかして！」という声があちこちから聞こえてきます。
- ●しかし、医療班が何の薬を飲んでいたのかを尋ねると、薬の名前を覚えていない人が多く、薬を特定することが困難なケースもしばしば見られます。

Q このような状況で、Aさんはどのように対応していけばよいでしょうか？
具体的な方法をあげてください。

Case 6 [解説]

1. 市内の薬局・薬店に協力を依頼し、市販薬を集める

まず、市内で災害被害を免れた薬局・薬店に協力を依頼し、市販薬を集めましょう。このとき、避難所にいる行政担当者にも相談し、役所に戻ったら、薬が不足している現状を伝えてほしい、と依頼してください。

2. 医師に投薬処方箋の作成を依頼する

次に、病院や救護班などの医師や在宅診療医に、投薬処方箋の作成を依頼します。

被災地の病院に早期に処方外来を開設できるように働きかけることも必要です。このとき、薬剤師にも協力を得るようにしましょう。

薬がいつ到着するかわからないような災害急性期の場合は、なるべく多くの被災者に薬を配給できるように、3日分程度の最小限の処方に留めるようにします。

血中濃度を維持できないと危険な薬[*1]については、医師や薬剤師に相談し、少量維持投与を検討する必要があります。

3. 何の薬を飲んでいたのか、推測する

　「薬がない」と訴える人に、「何のお薬を飲まれていたのですか？」と尋ねると、「名前はおぼえていない」と言われることがあるかもしれません。特に高齢者は、長年服用している薬であっても、意外と名前を忘れていることはめずらしくありません。そのような場合は、どのような病気や症状のために服薬しているのかや、服薬に際して食べてはいけないと言われている食品や果物などがあるかを質問し、薬名を類推していきましょう。

（神崎 初美）

[*1] 血中濃度を維持できないと危険な薬：プレドニゾロン（副腎皮質ステロイド）、インスリン（糖尿病治療薬）、レボチロキシンナトリウム水和物（甲状腺ホルモン製剤）、抗不整脈薬、抗凝固薬（ワルファリンカリウムなど）、フロセミド（降圧薬）など

Case 7
かぜ、インフルエンザの流行

- 災害から1週間が経ち、S中学校の避難所にはようやく支援物資として生活用品やマスクなどの衛生用品、医薬品などが届くようになりました。
- 水道はまだ復旧していませんが、近くの池からポンプで居住空間になっている校舎や体育館に水（飲用には適さない）を引いてこれるようになりました。
- 災害があった日以降、気温が低く乾燥した冬晴れの日が続いており、避難所には咳をしている人や発熱がある人が見られます。避難所内に設置された診療室には多くの住民が詰め寄せ、ごった返しています。
- 天気予報では、翌日以降も乾燥した晴天が続き、寒さはいっそう厳しくなるとのことです。

Q このような状況で、Aさんはかぜ、インフルエンザ対策をどのようにしていけばよいでしょうか？
具体的な方法をあげてください。

Case 7 [解説]

　かぜ、インフルエンザなどの感染症の流行を念頭におき、感染予防行動と避難所住民への啓蒙活動を中心にした活動を開始しましょう。

1. 手洗い、消毒、感染予防行動の周知徹底

　トイレや避難所出入り口など、避難所住民が高頻度に接触する場所は、こまめに消毒を行うことが必要です。

　消毒薬がすぐに手に入らない状況でも、学校や公共施設が避難所になっている場合は、台所漂白剤や住居用洗浄剤などが常備されていることが多いので、探してみましょう。これらは次亜塩素酸ナトリウム製剤ですので、各種細菌（グラム陽性菌、グラム陰性菌）、真菌、ウイルスに効果があり、感染症や食中毒予防に使用できます。

　次亜塩素酸ナトリウム製剤を使用する場合は、有毒ガスが発生しないよう、濃度や量に気をつけてください。皮膚の消毒には絶対に使ってはいけません。ボトルに使用方法が記載されているので、使用前に必ず読んで、安全に使用することが大切です。

2. 住民への啓蒙活動

　手洗いや消毒、感染予防行動については、その方法を詳細に示したポスターを作成して避難所内に掲示する（図2）とともに、避難所住民1人ひとりに説明して回るようにすると効果的です。

　ポスター作成の際は、文字ばかりにすると子どもや高齢者は理解しにくいため、イラストや図入りにして作成するとよいでしょう。　　（神崎 初美）

[図2] 感染予防行動の啓発ポスターの例
　　　（左：厚生労働省ホームページ　http://www.mhlw.go.jp/bunya/kenkou/kekkaku-
　　　　　　　　　　　　　　　　　　　　kansenshou01/dl/poster22.pdf
　　　　右上：ヒビスクラブ：http://hica.jp/forum/handwash/Hibscrub.jpg
　　　　右下：兵庫県立大学看護学部学生が作成したポスター）

Case 8

食中毒が発生した

- 災害から2週間後、Aさんと同じ病院から、Aさんの後任としてBさんがS中学校の避難所に看護支援にやってきました。
- 夕食から1時間くらい経った午後7時ごろのことです。避難所内に、嘔吐したり下痢症状を訴える人が数名出てきました。
- 話をよく聞いてみると、どうやらその人たちは全員、夕食にお昼の炊き出し時に残ったご飯でつくったおにぎりを食べたようです。

Q このような状況で、Bさんはどのように対応していけばよいでしょうか？
具体的な方法をあげてください。

Case 8 [解説]

1. すぐに医療班や災害対策本部へ報告する

すでに午後7時をまわっているようですが、これ以上夜間になると、行動すること自体が難しくなります。すぐに医療班や災害対策本部へ連絡し、状況を説明して、対応を検討する必要があります。

2. 感染の蔓延を防ぐ予防行動をとる

避難所に駐在している行政担当者や避難所リーダーと協力しあい、昼食の残りご飯でつくったおにぎりを食べた人がほかにもいないか確認し、いるようであれば、その人にどこか調子が悪いところはないか、尋ねます。

調子が悪くなる人がその後も出てくる可能性があるため、感染防止の観点から、以下の対処方法を速やかにとることが重要です。

- 避難所住民全員の手指衛生の徹底：症状がない人も含めて避難所住民全員に、手洗い行動をとるように伝えます。メガホンや拡声器、放送設備があれば使い、確実に全員に伝わるようにします。
- トイレの消毒（p.77参照）、消毒薬の設置
- 感染者の隔離：周囲の人には、「○○さんは念のためほかの方とは離れた場所（もしくは別室）に行っていただきますが、差別しないようにしてください」と説明し、避難所住民が必要以上に不安になることがないように配慮することが大切です。

3. 嘔吐物の処理

2次感染を防ぐため、吐物は以下のように処理します[1]（図3）。
①着ているものの袖をまくり、時計をはずす。
②使い捨て手袋・マスクを着用する。

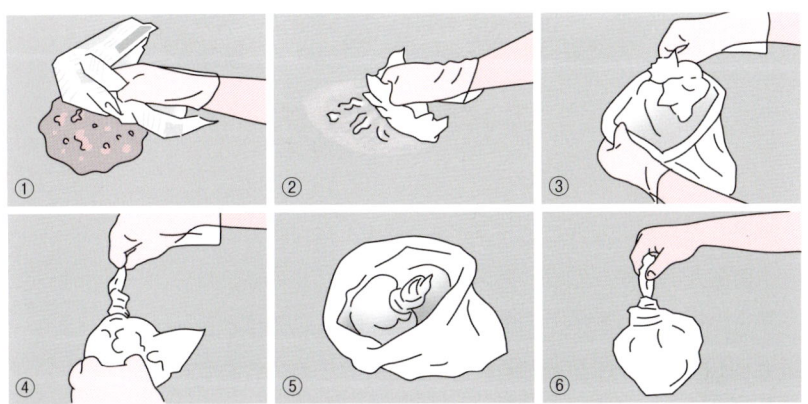

①吐物を新聞紙や捨ててもよい布などでできる限り拭き取る。②約50倍に希釈した塩素系漂白剤に浸したペーパータオルで、吐物の周辺から中心へ向かって一方向に拭いていく。③吐物や拭いたペーパータオル、布はビニール袋（内袋）に入れる。④袋の口をしっかりと縛る。⑤内袋をさらに大きなビニール袋（外袋）に入れる。⑥内側を触らないようにして口を縛り、捨てる。

[図3] 嘔吐物の処理方法

③使い捨てコップに台所用塩素系漂白剤の約50倍の希釈液をつくる。
④希釈液に浸したペーパータオルやぼろ布などで吐物を拭く。周辺から中心へ向かって一方向に拭いていく。
⑤拭いたペーパータオルや布は、ビニール袋（内袋）に入れる。
⑥内袋の外側はウイルスだらけなので、素手で触らない。内袋をさらに大きなビニールの外袋で包み、燃えるゴミ用のゴミ箱に捨てる。
⑦処理後は、石鹸と流水で手洗いする。水や石鹸がない場合はミネラルウォーターで手を洗うなど、その状況での最善を尽くす。　　　（神崎 初美）

引用文献

1) 勤医協中央病院医療安全室：家庭版　正しい嘔吐物処理方法，2007.9
　http://www.geocities.jp/kin_ikyo_chuo/ictinfo/room2/index.html

Case 9

子どもへの対応

- 避難所住民のなかには、子どもも大勢います。
- 避難所内を走り回り、大声を出して騒いでいる子、自分よりも小さい子をいじめている子、元気がなく、お母さんのそばから一時も離れようとしない子、夜になると決まって泣き出す子もいるようです。
- 避難所生活も2週間を越え、住民にも疲労が見えており、子どもが騒ぐ様子にいらいらしている人も多く、「何とかしてほしい」という苦情も出てきています。
- 一方、子どもも大人から「うるさい」「やめなさい」「じっとしていなさい」などと注意され続けることで、口には出さないものの、ストレスを感じているようです。

Q このような状況で、Bさんはどのように対応していけばよいでしょうか？
具体的な方法をあげてください。

Case 9 ［解説］

1. 気になる様子の子どもの把握と、親への確認

　避難所を見渡し、気になる様子の子どもがいないか確認しましょう。また、避難所の子ども1人ひとりのところへ行って、親に子どもの様子を聞いたり、見守りをしたりします。災害時によく見られる子どもの変化（**表1**）や子どもへの接し方（**表2**）について、親へ説明し、気になる行動がないかどうか尋ねるようにしてください。**図4**に示した項目に当てはまるような子どもを見つけたら、心の状態をうまく表現できない子どもが出している何らかのSOSのサインなので、温かく見守るとともに、支援の手をさしのべましょう。

2. 避難所内に子どもの遊べる場をつくる

　行政担当者や避難所リーダーに相談し、避難所内に子どもの遊び場スペースを設置するとよいでしょう。
　看護職は、子どもたちの遊び相手を探したり、ときには自ら遊び相手になることも必要です。また、周囲の人に呼びかけて、子どものおもちゃをもち寄ってもらったり、避難所内でものづくりや工作、お絵かき、ゲームなどのイベントを企画するのもよいかもしれません。

3. 子ども会議を開き、気持ちを表出する場にする

　狭い避難所生活のなかで、「うるさくしてはいけない」「走り回ってはいけない」など大人から始終注意されることで、子どもは「大人から抑えつけられている」と感じ、ストレスとなっていることがあります。
　このようなときは、子どもたちだけの子ども会議を開いて、子どもが自分の気持ちを遠慮なく話せるようにすることが効果的です。子どもでも

[表1] 災害時によく見られる子どもの変化
- 情緒が不安定になる、怒りっぽくなる
- 集中力がなくなった
- 自分の物への執着が強くなる（例：おもちゃをほかの子どもに触られると怒り出す）
- 被災した自宅に行こうとすると泣く
- 自分の髪や眉毛などを抜いてしまう

[表2] 災害時の子どもへの接し方
- 「いつでもここにいるよ」「いつも気にしているよ」という態度で見守る
- 子どもから話しかけられたら、忙しくても作業を中断し、なるべく話を親身に聴くようにする
- 子どもが安心できるように、何度もぎゅっと抱きしめる
- 髪や眉毛を抜く自傷行為はストレス反応なので、驚かずに改善を待つ。念のため、こころのケアチームに相談するとよい
- 子どもとなるべくいっしょに遊ぶ機会を設ける
- ほかの子どもとうまく遊べないときでも、「大変だったね。怖かったね。大丈夫だよ」と穏やかな声でメッセージを伝える。ただし、誰かをぶつような行為があったら、「いけませんよ」と注意するのを忘れてはいけない
- 避難所でも、少しでもいままでどおりの生活を再現できるように心がける

こころとからだのアンケート（児童生徒用）

　　　　　　　　　　　　　　　　　　　　　年　　　月　　　日
なまえ　　　　　　　　　　　　　　　　男・女

　これから質問することは、大きなストレスを経験したあとで、だれにでもおこるこころやからだのことです。このアンケートは、スクールカウンセラーや保健室の先生、担任の先生などがみて、あなたのこころとからだの健康のために使います。あてはまるところに○をしてください。

Ⅰ　（　　　）の被害は、　1 なかった　2 少しあった　3 かなりあった　4 非常にあった
Ⅱ　被害にあったとき、　1 こわくなかった　2 少しこわかった　3 かなりこわかった　4 非常にこわかった
Ⅲ　（　　　）の被害で、この1週間のあいだに、どれくらいこころとからだに変わったことがありましたか？　あてはまるところに○をしてください。

　　　　　　　　　　　　　　　　　　　　　　　　　　　　　　ひじょうに　かなり　すこし
1　心配でおちつかない………………………………………………はい・はい・はい・いいえ
2　むしゃくしゃしたり、いらいらしたりかっとしたりするようになった…はい・はい・はい・いいえ
3　眠れなかったり、とちゅうで、目がさめたりする………………はい・はい・はい・いいえ
4　ちょっとした音にもびくっとする………………………………はい・はい・はい・いいえ
5　なにかしようとしても　集中できない…………………………はい・はい・はい・いいえ
6　気もちが、たかぶったり、はしゃいだりしている……………はい・はい・はい・いいえ
7　そのことの夢や　こわい夢をみる………………………………はい・はい・はい・いいえ
8　ふいにその時のことを思い出す…………………………………はい・はい・はい・いいえ
9　またあんなことがおこりそうで心配だ…………………………はい・はい・はい・いいえ
10　その時のことが頭からはなれない………………………………はい・はい・はい・いいえ
11　考えるつもりはないのに、その時のことを考えてしまう……はい・はい・はい・いいえ
12　その時のことを思い出すと、どきどきしたり、苦しくなったりする…はい・はい・はい・いいえ
13　ときどきぼーっとしてしまう（なにも感じられなくなる）……はい・はい・はい・いいえ
14　その時のことについて、よく思い出せない……………………はい・はい・はい・いいえ
15　そのことについては、話さないようにしている………………はい・はい・はい・いいえ
16　そのことを思い出させるものや人、場所をさける……………はい・はい・はい・いいえ
17　楽しいことが楽しいと思えなくなった…………………………はい・はい・はい・いいえ
18　だれとも話したくない……………………………………………はい・はい・はい・いいえ
19　どんなにがんばっても意味がないと思う………………………はい・はい・はい・いいえ
20　ひとりぼっちになったと思う……………………………………はい・はい・はい・いいえ
21　自分のせいで悪いことがおこったと思う………………………はい・はい・はい・いいえ
22　だれも人は信用できないと思う…………………………………はい・はい・はい・いいえ
23　自分の気持ちを話せる人がいない………………………………はい・はい・はい・いいえ
24　こわくて、ひとりでいられない…………………………………はい・はい・はい・いいえ
25　頭やおなかなどが痛かったり、からだのぐあいが悪い………はい・はい・はい・いいえ
26　学校に来るのがきつい（学校がたのしくない）………………はい・はい・はい・いいえ
27　ひととのつながりが大切だと思う………………………………はい・はい・はい・いいえ
28　たいへんなこと、つらいことがあってものりこえられると思う…はい・はい・はい・いいえ

今のきもちを書いてください。絵でもいいですよ。

[図4]　こころとからだのアンケート（児童生徒用）
　　　（冨永良喜ほか：災害・事件後の心のケアのあり方，兵庫教育大学学長裁量経費報告書，2004）

しっかりとした自分の意見をもっていることを忘れてはいけません。

そして、子どもの気持ちを昼間避難所にいる大人に伝え、両者でどうすれば快適に避難所生活をおくれるか話し合う場を設けます。大人も子どももお互いの言い分に納得し、気持ちを分かち合うことができるように、看護職がコーディネーターとなっていきましょう。

4. 子どもに自分の責任でやり遂げることができるような役割を与える

子どもたちが、自分の責任でやり遂げる仕事（例：朝夕のラジオ体操の運営係、配膳係、掃除係、布団干し係、あいさつの奨励係など）をつくることはとても効果的です。子どもが無事に役割を果たすことができたときには、「お疲れさま。お陰でとても助かったわ」と伝え、ほめてあげましょう。ほめられてうれしいという気持ち、自分は人の役に立っているという気持ち、自分への自信をもてるという気持ちは、心の安定にもとても重要です。

（神崎 初美、黒田 裕子）

? プチ問題

避難所のなかで子どもたちが地震ごっこや津波ごっこをして遊んでいます。「早く逃げないと流されるぞ」などと無邪気に言って走り回っていますが、どう対応すればよいでしょうか？

▼

制止せずに見守るようにしてあげてください。子どもたちは恐ろしい体験を遊びの形で表出し、再現することで、自分の体験を消化しようとしているのです。「怖かったね。逃げてきたからもう大丈夫だよ」とやさしく話しかけてあげるとよいと思います。

（神崎 初美）

Case 10

泣くことができる場所がない

- 避難所には、身内や親しい人を亡くしたり、家を失くしたりして、いまだ大きな悲しみを抱えている人が多くいます。
- しかし、避難所という集団生活のなかで、他人の目を気にして、思いきり悲しんだり泣いたりすることができずに我慢している人も多いように見受けられます。心に悲しみを抱いたまま発散できないことが、さらにストレスとなってしまわないか、Bさんは心配しています。

Q このような状況で、Bさんはどのように対応していけばよいでしょうか？
具体的な方法をあげてください。

Case 10 [解説]

1. 1人で思い切り泣くことができる場所をつくる

　感情を内に抱え込み発散できないことは、心の健康によいことではありません。誰にも邪魔されずに思い切り泣くことができる場所をつくることが必要です。避難所開設から間もない時期は、空いている部屋が見つからないかもしれませんが、部屋が兼用でも、小さくても構わないので、泣くための部屋を確保してください。部屋を使用するときは、「ただいま使用中です。出入りをご遠慮願います」と書いた札を掲示するなどして、しばらくの間1人になることができるようにすることが大切です。

　筆者の場合は、泣くための部屋を単独で確保することが難しかったので、着替えをする部屋と泣くための部屋を兼用にしました。悲しいときに他人の目を気にせずに泣けることで、これまでよりも避難所生活が苦痛でなくなった、と話す人もいました。看護職は、避難所のなかの全体から個を見ていくことを忘れないようにしたいものです。

（黒田 裕子）

Case 11

杖がないため歩行が困難な人

- 右頸部骨折後、歩行困難となり、杖歩行で生活していた70歳の女性、Nさん。地震後に起こった津波で自宅が流され、S中学校の避難所にやってきました。
- 津波で杖を失ってしまったとのことで、避難所内を歩くのも困難な様子です。「周囲の人に迷惑をかけるから……」とあまり動きたがらず、1日中誰とも話をせずにじっと座ったままの状態です。
- Bさんが「少しお散歩してみませんか」と話しかけても乗り気でなく、「杖があればどんなにか楽なのに……」と言っています。このままでは運動不足による生活不活発病などの弊害が起こらないか心配です。

Q Nさんに廃用症候群（生活不活発病）などの2次的合併症を起こさせないために、Bさんはどのように支援していけばよいでしょうか？
具体的な方法をあげてください。

Case 11 [解説]

1. 保健師や避難所を巡回している理学療法士に、杖の入手について相談する

　避難所住民のなかで、歩行困難のため生活に支障をきたしている人を見つけたら、避難所に駐在している地元保健師や、避難所を巡回している理学療法士に、杖の入手について相談してください。保健師や理学療法士と連携することで、杖の確保ができるかもしれません。

2. 避難所内での居住場所の移動

　Nさんのように歩行が困難な人には、避難所内でなるべく狭いところを歩かなくてもよいようなスペースに居住場所を移動できるように調整するとよいでしょう（なるべくトイレの近くにすることが望ましいですが、トイレが屋外に設置されている場合は、入り口付近にすると寒いため、考慮が必要です）。

　ただしこのような場合、避難所で活動している支援者全員で話し合い、場所の変更を決めるようにします。また、場所を移動していただく方には、気持ちよく譲っていただけるように、配慮を忘れないでください。（→ p.65 Case 3参照）

　Nさんのケースでは、理学療法士が杖を手配し、杖が使えるようになったことで、Nさんは安全に歩行ができるようになりました。行動範囲が拡大することで心に豊かさが出てきて、他者との会話も多くなり、少しずつ笑顔も見られるようになりました。

（黒田 裕子）

Case 12

一般避難所で生活している災害時要援護者

●S中学校の避難所には、自立した生活が難しい高齢者、障がい者（視聴覚などに障害がある人。内部障がい者も含む）、乳児、妊婦などの災害時要援護者も生活しています。なかには、大勢の人がいっしょに暮らす一般避難所（第1次的避難所）で生活することに困難をきたしている人もいるようです。

Q このような状態で、Bさんはどのように対応していけばよいでしょうか？
具体的な方法をあげてください。

Case 12 [解説]

1. 避難所内での居住場所の移動

　視聴覚に障害がある人や高齢者、乳児、妊婦などの災害時要援護者は、一般避難所（第1次的避難所）で生活するにあたっては安全を確保しづらいことが多くなります。なるべく危険が少ない場所、例えば避難所の入り口付近に居住場所を移動してもらい、2次災害を予防することが必要です。

　一般避難所においては、開設後3日が経てば避難所全体が落ち着いてくるので、住民の居住場所の移動が可能になります。このとき、避難所で活動している支援者全員で話し合い、場所の変更を決めるようにします。

　また、場所を移動していただく人には、気持ちよく譲っていただけるように配慮を忘れないでください（→ p.65 Case 3参照）。こうすることで、要援護者は周囲の人との関係性を損ねることなく安心して日々の生活がおくれるようになり、周囲の人も自然と協力するような良好な関係ができると思います。

2. 福祉避難所（第2次的避難所）への移動

　一般避難所では生活が困難な要援護者には、自身が安心して生活をおくるために、また周囲の人の身体的・精神的負担にならないように、福祉避難所（第2次的避難所）に移動してもらうこともできます。福祉避難所に移動させるかどうかの判断は、避難所全体が落ち着いてくる開設後3日目以降に行います（p.15参照）。

（黒田 裕子）

Case 13

洗濯がしたい

- Bさんが避難所内を巡回していたところ、住民から「洗濯がしたい」「服を手洗いしたいが、どこに干したらいいのか」と尋ねられました。
- 避難所内を見渡したところ、洗濯物を干せそうな場所は見当たりませんでした。

Q このような状態で、Bさんはどのように対応していけばよいでしょうか？
具体的な方法をあげてください。

Case 13 [解説]

1. 行政スタッフに洗濯機の設置を依頼する

　避難所に洗濯機を設置してもらえないか、行政スタッフに依頼してみます。ただし、依頼しても、状況によっては設置できない場合があるので、そのことを住民に事前に話しておくことも大切です。

　一方、避難所に洗濯機が入ることにより、住民間に洗濯の順番をめぐるトラブルが起こることが考えられます。この場合は、住民代表による話し合いの場をもち、使用のルールを決めてもらいます。住民同士が納得したうえで、自主的にルールを決めることが大切です。

　筆者の経験では、使用者の順番を記した札をつくって洗濯機に吊り下げておき、使い終わった人からチェックを入れていくことで、スムーズに使用できるようになりました。

2. 住民の代表で話し合い、洗濯物を干す場所を決めるよう支援する

　洗濯物を干す場所については、住民代表で話し合って決定することが望ましいため、支援者は話し合いの場をもてるように調整します。

（黒田 裕子）

Case 14

入浴の優先順位

- ようやくS中学校の避難所でも、自衛隊による巡回入浴サービスが受けられることになり、住民はとても喜んでいます。
- 自衛隊が校庭に大きな風呂を設置し、地元住民が入浴できるシステムのようです。自衛隊の入浴サービスは近隣の避難所を巡回しているため、S中学校の避難所で入浴できるのは3時間という制限があります。
- Bさんが避難所住民に入浴サービス利用の希望を聞いたところ、成人200名、高齢者50名、子ども40名から希望がありました。
- また避難所住民だけでなく、このサービスの開始を聞いた近隣住民も、入浴を希望して校庭に押し寄せてきています。

Q このような状況で、Bさんは入浴者の優先順位をどのように決めていけばよいでしょうか？
具体的な方法をあげてください。

Case 14 ［解説］

1. 入浴優先度の高い人を選ぶアセスメントを行う

　入浴は3時間のみという制限があるなかでは、入浴できる人の数に限りがあるため、避難所に駐在する看護職として、入浴優先度の高い人を選ぶアセスメントを行う必要があります。
　優先順位が高いのは、以下のような人です。
- 入浴していないことにより、皮膚にかぶれや湿疹などの感染症状が現れている人――ただし、皮膚に傷があり、バイ菌が侵入する可能性があるような場合は、入浴しないほうがよいこともあります。
- 子ども――子どもは汗をかきやすく、皮膚病を起こしやすいため、優先的に入浴させたほうがよいでしょう。
- 車を所持しておらず、遠方に行くのが難しい人――車を所有している人は遠方の銭湯に行ける可能性があります。車を所有しておらず、遠方に行けない人を優先させるという方法もあります。

　要援護者の入浴の際には、風呂までの移動や洗う動作がうまく行えなかったり、転倒する危険性があるため、付き添いの人をつけるようにします。
　また当然のことですが、男女別に入浴時間を分け、時間帯にも配慮することが必要です。

2. 入浴できない人への対応

　入浴希望者が多く、入浴時間が3時間と限られている状況では、全員が入れないことが予測されます。入浴できない人には、カセットコンロで沸かしたお湯にタオルを浸して、清拭する方法もあります。
　また、小さい子どもは、たらいを用意してお湯を入れ、そこで入浴させるのもよいでしょう。

（神崎 初美）

Case 15

避難所住民に取材したがるマスコミ

- S中学校の避難所に、マスコミ各社が取材にやってきました。勝手に居住空間に入ってきて、半ば強引に住民に取材をしている姿も見られます。
- マスコミの人がやってくるのは昼間のことが多いのですが、昼間は若い人は仕事や家の片付けなどに出かけており、避難所に残っているのはほとんどが高齢者という状況です。
- 異なる会社のマスコミの人から何度も同じことを聞かれ、うんざりしているような住民もいますが、取材依頼を断りづらいようで、仕方なく応じているようにも見えます。
- 一方、マスコミで報道されたことで支援物資が増え、助かっている避難所もあると聞いており、取材をシャットアウトするのもどうかと思われ、どうしたものかと迷っています。

Q このような状況で、Bさんはどのように対応していけばよいでしょうか？
具体的な方法をあげてください。

Case 15 [解説]

1. 取材目的を確認するとともに、住民の体調や状況に配慮したうえで取材を受ける人を選んでもらう

まず、マスコミの人たちは、この避難所に何の目的で取材に来たのかを確認しましょう。また、避難所で暮らしている高齢者の反応や健康状態を把握し、取材を受けることができる状況にあるかどうかをアセスメントすることも必要でしょう。

2. マスコミ取材の上手な対応方法

マスコミが取材に入った場合に、取材可否の判断について対応する人を決めておきます。その役割は、主に避難所管理の責任者である行政担当者が担うことになります。看護職は、住民に取材をしようとしているマスコミの人を見つけたら、行政担当者に相談し、いっしょに対応するようにするとよいでしょう。

マスコミ取材は、欠点ばかりではありません。自分がいる避難所の状況が被災地外に報道されることで注目が集まり、支援が増える可能性もあります。避難所住民には、無理のない範囲で協力していただくようにできたらよいと思います。

（神崎 初美）

Case 16

野菜摂取不足によるビタミンの欠乏

●災害から2週間が過ぎましたが、S中学校の避難所の食料事情はあまり改善されていません。被災地へ向かう道路の復旧が遅れていることもあり、食料の運搬は困難なままで、支援物資の食料はどうしても長期保存が可能なものばかりになっています。野菜や果物の配給は皆無に等しく、このままでは避難所住民がビタミン不足になることは避けられないと思われます。

Q このような状況で、Bさんは住民のビタミン不足に対してどのように対応していけばよいでしょうか？具体的な方法をあげてください。

Case 16 [解説]

1. ビタミンの特徴

ビタミンには、以下のような特徴があります。
- 身体の機能を維持する微量栄養素である。
- 三大栄養素である炭水化物、タンパク質、脂質が体内でエネルギーに変わるときや、筋肉や皮膚など身体の構成成分に変わるときに、転換の手助けをする。
- 基本的に、体内で生合成できない。
- 水溶性ビタミン[*1]は主に酵素反応の補酵素として働く。過剰になると容易に尿中に排泄されるため、一般的に生体貯蔵量が少なく、原則、毎日摂取する必要がある。水洗いや加熱調理による損失が大きく、調理法は「茹でる」「煮る」よりも、「蒸す」「炒める」などが適している。
- 脂溶性ビタミン[*2]は脂肪と共に小腸内に吸収され、リンパ球を経て血液に入り、リポ蛋白の一部として肝臓に運ばれ、貯蔵される。加熱による損失は水溶性ビタミンに比べて少なく、油といっしょに調理することで吸収率が高まる。過剰摂取によっても尿中には排出されないが、過剰摂取すると健康を害する恐れがある。

2. ビタミン不足の原因

ビタミン不足となる原因には、摂取不足、吸収障害、必要量の増加がありますが、災害時に起こる原因は食料からの摂取不足です。

[*1] 水溶性ビタミン：ビタミンB1（チアミン）、B2（リボフラビン）、B3（ナイアシン）、B5（パントテン酸）、B6、B7（ビオチン）、B9（葉酸）、B12（シアノコバラミン）、C（アスコルビン酸、デヒドロアスコルビン酸）など。
[*2] 脂溶性ビタミン：ビタミンA、D、E、K。

災害後、生きる望みをなくし、飲酒量が増え、アルコール依存症になると、低栄養からビタミンB1（チアミン）欠乏が生じ、ウェルニッケ脳症（眼球麻痺、歩行運動失調、意識障害）を発症し、慢性化すると精神科疾患になりやすくなります。アルコールによる小腸粘膜からのビタミン吸収障害が起こる可能性もあります。被災者の飲酒量が増加していないか、十分な栄養素を摂取しているかについても、気にかけておくようにしましょう。

　ビタミンCが不足すると、コラーゲンの構造が弱くなるため、毛細血管から出血し、歯肉炎（壊血病の初期症状）や貧血、全身倦怠感、脱力、食欲不振の症状が出てきたり、シミやしわが増えたりします。これらの症状の発現には、ビタミンB1不足で18日、ビタミンC不足で3週間、ビタミンB2不足で4週間後というデータがありますので、参考にしてください[1]。

3. サプリメントの利用

　ビタミン不足を補うためのサプリメント摂取の有効性については、科学的なエビデンスはない[2]とされており、特にビタミンとその他の食品成分の配合品については、有効性のエビデンスが不十分なものが多いようです。

　しかしビタミンのみが配合されているサプリメントに関しては、医薬品のビタミン剤と同程度の生理作用は期待できるとする意見[3]もあり、災害時の食料不足によるビタミン欠乏時など、利用する理由や摂取によるメリットが考えられる場合は、サプリメントの摂取を考慮してもよいのではないかと末木は述べています[3]。よって災害時には、野菜や果物が当分手に入らない場合に限り、サプリメントの適応があると考えます。　（神崎 初美）

引用文献
1) 柴田克己ほか：ビタミンと微量ミネラル，栄養—評価と治療，28(2)：47，2011．
2) 「ホメオパシー」についての会長談話，日本学術会議，2011．
　http://www.scj.go.jp/ja/info/kohyo/pdf/kohyo-21-d8.pdf#search=
3) 末木一夫：災害時のおけるサプリメントの利用，災害栄養，85(8)：412-415，日本ビタミン学会，2011．

? プチ問題

救護センターが設置されていない避難所に、災害派遣ナースとして配属されました。この避難所には高齢者が多く、毎日体調面で何らかの訴えがあります。医師が不在のため、住民は「何かあったら、どうすればいいのか……」と不安な様子です。住民が安心して日々の生活ができるように、どのように対応していけばよいでしょうか？

▼

医師が常駐しておらず住民が不安を抱いている場合は、行政スタッフや地元保健師と連携をとり、病気になったり具合が悪くなったりしたときには、いつでも医師が避難所往診したり、近くの救護センターで受け入れてもらえるようなシステムにしておきます。このことを避難所住民に知らせることで、住民は安心感がもて、快適な生活がおくれるようになります。

（黒田 裕子）

Case 17

避難所住民の自立への支援

- 災害発生から1か月後、S中学校の避難所に、近県の病院からCさんが災害派遣ナースとして2週間の滞在予定で看護支援にやってきました。
- この避難所は、ピーク時は約500名の被災者が生活をしていましたが、時間の経過とともに少しずつ減ってきています。それでもいまだに約200名の住民が暮らしています。
- 避難所に残っている人は自宅が津波で流されるなど被害が大きかった人が多く、被災のショックや悲しみはまだ癒えていないようですが、災害から1か月が経ち、外部からの支援ボランティアも減ってきたこともあり、そろそろ住民が自立して生活していかなければならない時期にきています。

Q このような状態で、Cさんは避難所住民の自立のためにどのように支援していけばよいでしょうか？具体的な方法をあげてください。

Case 17 [解説]

1. 住民自らが仕組みづくりができるようにサポートする

　避難所住民が自立していくために、どのような仕組みをつくるとよいのか、どうすれば住民が快適な生活がおくれるのか、居住している人同士で話し合い、決めていくように支援します。

　避難所は地域社会でもあるので、まず、避難所の区画整理を行います。自分たちがよりよく住まうために、力を出し合えるように支援します。

　例えば、避難所のなかをいくつかの班に区切り（1丁目、2丁目などという名称をつけるとおぼえやすいと思います）、それぞれの班から代表者を2名ずつ出して自治会を立ち上げ、そのなかから会長と副会長を決めます。それ以外の人にも役割をもってもらいます。

　朝食・昼食・夕食の用意や、避難所内の掃除・トイレ掃除、物資の配布をそれぞれの班の当番性にします。何か決めるべき事項が生じた場合は、各班の代表者が話し合うことで、スムーズに事が運びます。

　筆者の経験では、これにより避難所住民はとても快適に生活ができるようになり、仮設住宅へ移る準備もスムーズに進みました。また、住民は役割分担が与えられたことで生活にリズムができ、意欲的になり、何事も自主的に協力しあうようになって、コミュニティの強化が図れるようになりました。掃除がきちんとなされることで避難所に清潔感が出てきて、明るくなり、「日々の生活に張りができた」と話す人もいました。　　（黒田 裕子）

Case 18

避難所の外に設置されている風呂に入れない人

- ●S中学校の避難所には自衛隊による巡回入浴サービスが継続して行われていますが、外に設置されている風呂に自分1人では歩いていけない高齢者のなかには、付き添いを申し出ても「他人の迷惑になりたくない」と言って、入浴を遠慮している人もいます。
- ●また、おむつをしているため、大勢の人が使う風呂での入浴を控えている人がいます。
- ●このように風呂に入るのを遠慮している人のなかには、皮膚が赤くなったり、かゆくなったりなど、感染を起こしていると思われる人もいるようです。

Q 外に設置された風呂に自力で行けない人に、できるだけ皮膚のトラブルを起こさないようにし、日々、快適に生活していただくために、Cさんはどのような工夫をしていけばよいでしょうか？
具体的な方法をあげてください。

Case 18 [解説]

1. 皮膚の感染予防

　避難所住民の掻痒感を予防すること、そして感染による潰瘍形成から起こりうる2次的合併症を出さないことが大切です。入浴できない人には、皮膚の感染を防ぐため、タオルで全身清拭を行います。また、おむつをしている人には、おむつ交換のたびにお尻拭きで清拭します。

　避難所にタオルやお尻拭きなどの物資がない場合は、避難所に駐在している行政スタッフに、必要な物品を紙に書いて渡し、手配してもらうようにします。

2. 訪問入浴サービスの導入

　入浴の手段がない場合は、地元の保健師に現状を話し、社会資源を使えるように連携をとります。避難所のなかでも訪問入浴サービスを実施してもらえないか、地元保健師に交渉し、保健師から入浴サービス営業所に連絡を取ってもらうとよいでしょう。

　筆者が東日本大震災で支援に入った避難所では、地元保健師に相談し、避難生活が2週間経過した後、避難所内に1週間に1回、訪問入浴サービスを導入することができました。これにより、皮膚にトラブルがあった人も改善され、おむつをはずすことができた人もいました。

　入浴によって快適な気持ちになることが、避難所住民の快適な生活につながります。看護職は、困難な状況にあっても、次につなげていけるような支援を創意工夫していくことが大切です。

（黒田 裕子）

Case 19

避難所管理者の負担の軽減

- 災害発生から2か月後、S中学校の避難所に、県内の病院からDさんが看護支援にやってきました。
- 体育館ではいまだに約100名の被災者が避難生活をおくっています。
- S中学校は明日から新学期が始まるため、自衛隊員が机や椅子の搬送作業をしています。
- 避難所の施設管理者は校長です。校長の妻は津波で死亡し、家は全壊し、子ども2人（12歳と15歳）は被災地外の祖母の家で過ごしている、と前任の災害派遣ナースの活動記録に書かれていました。
- Dさんは校長と廊下で立ち話をした際に、現在はS中学校から80キロメートル先の友人宅に居候し、車で通勤していること、災害後1か月は1日も休まず校長室で寝泊りしていたこと、眠れないことが多く、頭が重いこと、ほかの先生も同じような状況の人が多いこと、などを聞きました。

Q このような状況で、Dさんは看護職としてどのように校長を支援していけばよいでしょうか？
具体的な方法をあげてください。

Case 19 ［解説］

1. 校長と静かなところでゆっくり話ができるような場所と時間をつくる

　校長の状況については、すでに前任の災害派遣ナースから申し送りを受けている状況ですが、先入観で判断せず、改めて校長と静かな場所でゆっくり話をできる機会を設けることが必要です。自分自身の観察力を研ぎ澄まして、相手と会話をするようにしましょう。前任者から申し送りされている内容との相違はないか、新しく得られる情報はないか、確認してください。

2. 校長のおかれている状況を理解する

　災害が起こったときに避難所になる場所の多くは、公立の小・中学校やコミュニティセンターなどの公共施設です。学校の平常時の管理責任者は校長ですが、災害時もそのまま校長が管理することになっていることが多くあります。ゆえに、校長は、体育館で生活している避難所住民の世話と、学校再開を目指した仕事の両方をしなければなりません。

　Ｄさんの出会った校長は、自身も被災し家族を亡くしているうえに、1か月も家に帰れず校長室で寝泊まりしていました。部下であるほかの先生も同様の状況で、仕事の代行を頼めなかったようです。災害から2か月が経ったいま、そろそろこれまでの疲労が蓄積しているころだと推察できます。

　校長は「眠れないことが多い」と話しているので、不眠の理由を共に話し合い、解決策を探っていきましょう。

3. 校長の仕事の代行をしたり、軽減したりできるような支援の方法を検討する

　避難所の運営管理は市町村が実施しており、多くの行政担当者やその他の組織の人々がかかわっています。一方、校長には業務として、教職員や生徒の安否確認や、健康の管理をする必要があります。また、学校再開に伴う多くの仕事があります。

　災害時に避難所となった学校体育館は、多くの地域住民の生活の場にもなっています。よって、校長だけが避難所住民の世話という重荷を背負ったり、責任を感じたりする必要はないのです。行政の担当者や自治会長、避難所内で選んだリーダーなどが校長の仕事を代行したり、軽減したりできるように、行政スタッフと共に避難所の運営管理の変更について話し合っていくことが必要です。

（神崎 初美）

Case 20
仮設住宅に関する質問

●避難所は災害発生から半年をめどに閉鎖の予定です。S中学校の避難所でも、あと2か月程度で住民はここを出なければなりません。その後は、自宅を修理して戻る、親戚・知人の家などに移る、自分で家を借りる、仮設住宅に入居する、などの選択肢があります。
●避難所を巡回していたDさんは、仮設住宅に移りたいと考えている住民から次のような質問を受けました。
①仮設住宅では、洗濯ができますか？　干すところはありますか？
②仮設住宅には、風呂はついていますか？
③仮設住宅では、隣の音が聞こえたりするのでしょうか？
④仮設住宅には、どのくらい居住することができますか？
⑤仮設住宅には、お店はありますか？
⑥仮設住宅には、住民が集まって話ができる場所はありますか？
⑦仮設住宅では、ゴミはいつでも捨てることができますか？
⑧仮設住宅には、駐車場はありますか？
⑨仮設住宅には、部屋はいくつありますか？
⑩仮設住宅には、子どもが遊べる場所はありますか？

Q このような質問に対し、Dさんはどのように答えればよいでしょうか？

Case 20 [解説]

1. 洗濯について

　洗濯はできます。東日本大震災の仮設住宅では、洗濯機の提供がありました。雪が多く降るような地域では、部屋のなかで洗濯ができるようになっています（阪神・淡路大震災のときの教訓が随分と生かされているようです）。

　また、洗濯物を干せるように、玄関の裏に囲いがされています。竿竹は自分で購入しなければならないケースもあるようです。

2. 風呂について

　風呂はついています。浴槽のタイプは様々ですが、湯船が深く、高齢者が入ったり出たりする際に大変なので、手すりがついています。

　阪神・淡路大震災のときと異なり、東日本大震災の仮設住宅では、風呂・トイレ・洗面所は別々になっていて、浴槽の外で体を洗うことができます。

3. 隣人の騒音について

　壁が薄いため、時によっては隣の音が聞こえてくることがあるかもしれません。あまりにもうるさいときには、隣の人と話し合うようにします。直接言うのはためらわれる場合は、仮設住宅の支援をしているボランティアや自治会長に同席してもらい、話し合うほうがよいかもしれません。我慢しすぎてストレスが溜まる前に、対応しましょう。

4. 居住期間について

　仮設住宅の定義では居住期間は2年間となっていますが、これまでの災

害では、自ら家を建てたり、家を修理した人を除き、2年間で退去した人はいません。

　新潟県中越地震では、仮設住宅での暮らしは3年間でした。筆者は阪神・淡路大震災の被災者で、仮設住宅に入居していましたが、4年3か月もの間、暮らしていました。今後、仮設住宅の居住期間は、その地域の特性なども考慮に入れて、どうするかが問われてくると思います。東日本大震災においては、すでに3年間という数字が出されています。なお東日本大震災では、市営住宅を仮設住宅として借り上げることも行っています。

5. 買い物をする店について

　仮設住宅においては販売が禁じられているため、敷地内に店舗はありません。しかし、東日本大震災のように大きな被害があった場合、日々の生活（暮らし）を考えると、車をもっていない人は、公共の乗り物もなくアクセス方法がないため、遠くの店まで日用品を買いに行くことすらできない住民が多いと考えられます。このような場合は、仮設住宅のなかに仮設の店舗を出すことができたら、と思います。

　阪神・淡路大震災のときも、仮設住宅の敷地内に店がなく、日々の暮らしが遮断されました。そこで、筆者が移動市場を招致したり、買い物ツアーを開催したりしたところ、住民からとても喜ばれました。

6. 集会所について

　住民が集まり話すことができる集会所が仮設住宅の敷地内に設置されています。50世帯の仮設住宅につき、集会所1か所と決められています。しかし、高齢者の孤独死や閉じこもりを予防するためにも、筆者は仮設住宅のあるところには、世帯数にかかわらず集会所を設けたほうがよいと考えます。

　集会所でお茶会などを開催することで、コミュニティづくりをしている

ところも多いようです。

7. ゴミ捨てについて

　ゴミは、いつでも捨てることはできません。週のうち、何曜日は燃えるゴミ、何曜日は燃えないゴミというように区別されています（一般家庭と同じです）。

　ゴミ置き場に出されているゴミを見ると、いま住民がどのような状態であるかを察知することができます。そのことが、異常の早期発見につながり、救命救助となることもあります。

8. 駐車場について

　敷地内に駐車場があります。住民それぞれが置けるようにきちんとスペースが割り振りされているところもありますが、割り振りがされておらず各自が好き勝手に置いていて、ほかの人が車を置きたくてもスペースがないといった問題も起こっています。このことで喧嘩になることもあるので、きちんとスペースの割り振りをすることが大切だと考えます。

9. 部屋の数について

　通常、仮設住宅の部屋は2つです。6畳と4畳の小さい部屋であるため、物が置ききれずに困っている人は多いようです。東日本大震災では、5人以上の家族の場合は2棟を借りることができるようになりました。

10. 子どもの遊び場所について

　子どもが遊べる場所は、仮設住宅によって違いがあります。阪神・淡路大震災のときには、大規模の仮設住宅では敷地内に遊べる場所が多くありました。子どもたちは、集会所で本を読んだり、勉強したりしていました。若い母親は、子どもをつれて集会所に来て、子どもを広場で遊ばせ、自分

は友だちとおしゃべりをしたりしていました。

　仮設住宅を設置するにあたっては、居住する人のことを考えて様々な支援メニューが用意されています。それをうまく機能させるようにもっていくことが大切だといえるでしょう。

(黒田 裕子)

> **? プチ問題**
>
> 避難所はほぼ満員で、隣の人との境界はわずかなスペースしかなく、すべてが丸見え、丸聞こえです。プライバシー確保のために何かできるでしょうか？
>
> ▼
>
> 災害後、約4日程度で支援物資が届き始めます。支援物資のダンボール箱を利用して囲いをつくり、各避難者のスペースの間に設置すると、周囲の目を気にせずに差し入れの食べ物を食べたり、周囲にいびきが聞こえなくなったりなど、最低限のプライバシーが守れるようになります。
>
> (黒田 裕子)

Case 21
孤独死の予防

- 災害から半年が経ちました。ほとんどの避難所は閉鎖され、避難所で暮らしていた住民のなかには仮設住宅に移った人も大勢います。
- ベテラン看護師のEさんは被災地在住ですが、自身の被害はそれほど大きくはありませんでした。昨年、長年勤務した病院を定年退職しており、比較的時間がとれるので、地元のために何か役立つことをしたいと思っていました。そんなときちょうど募集があったため、仮設住宅で暮らす被災者支援の看護ボランティアをすることにしました。
- Eさんの役割は、仮設住宅の住民を訪問し、安否確認を行うことです。前任者からの引き継ぎを終え、Eさんは1人暮らしの高齢者Uさんの家を訪問しました。声をかけましたが、返答はありません。その後も毎日訪問していますが、いつも不在です。EさんがUさん宅の訪問を始めてからすでに5日が経っています。
- 前任者の記録を見たところ、2週間前までは訪問すれば顔を見せてくれていたようです。また、Uさんには高血圧の持病があることもわかりました。持病がある1人暮らしの高齢者ということで、Uさんは孤独死されているのではないかと、Eさんは不安になってきました。

Q 孤独死を防ぐためには、どのような対策が有効でしょうか？
具体的なポイントをあげてください。

Case 21 [解説]

1. 訪問時、対象者と向き合うときのポイント

仮設住宅の訪問時には、その家の住民の現在の健康的、精神的、生活的状況を確認することと思いますが、その際に気をつけて確認すべきポイントを表3に示します。支援者は、仮設住宅の住民が前回訪問したときと何か違う様子はないかどうか、相手と向き合い、よく観察し、ほんの小さな変化を見逃さず、気づくことが重要です。それが孤独死を防ぐための最も有効な対策であることは言うまでもありません。

（黒田 裕子）

[表3] 仮設住宅訪問時に対象者と向き合うときのポイント（チェックリスト）

項目	月日	月日	月日
（前回の訪問と今回の訪問との違う点を見る）			
●在宅時			
訪問時「こんにちは」と言ってから、出てくるまでの時間がどのくらいかかったか			
出てきたときの顔の表情　下を向いていたのか、上を向いていたのか			
戸の開け方（開きの大・小、開けるときの目の方向、訪問者に目が向いていたかどうか）			
出てきたときの声に張りがあったか			
室内に上がらせていただいたとき、畳の隅の汚れはどうか			
台所のシンクのなかの食器の動きがあるかどうか。昨日と今日との比較を			
台所が汚れていたか（汚れがない場合→食事を摂っていないのではないか、または買ってきたものだけを食べている可能性がある）			

項　目	月日	月日	月日
ゴミ箱のなかを見る（購入した食品の同じパッケージがいくつもあるならば、栄養の偏りがあることも気に留めておく			
トイレを見る機会があれば、便器のなかの汚れ具合から健康状態を把握する			
会話しているとき、言葉が普通に出ているか（ろれつの回り方から健康状態を把握する）			
会話のなかにポイントがあるので、見過ごさないようにする			
●不在時			
電気メーターの動きを見る			
水道メーターの動きを見る			
新聞受けの溜まり具合を見る。いつから溜まっているか			
牛乳、乳酸菌飲料など牛乳店から配達を依頼しているものがあれば、溜まり具合を見る			
家の前の風景も把握しておく			
洗濯物などが干されているようであれば、どのようなものが干されているかを見る			
ご近所の方に最近お見かけしたかどうかを尋ねながら、現状を把握する			

常にきめ細やかに、目配り・気配りを行いながら、相手と向き合う

Case 22

1人暮らしの高齢者の家の合鍵

◉Eさんは仮設住宅の巡回を続けているうち、次第に住民と仲良くなってきました。Eさんの訪問を楽しみにしている人も多いようです。
◉1人暮らしの高齢者HさんはパーキンソН病で歩行に困難があるため、外に出かけることが難しく、毎日家に来てくれるEさんとお茶を飲みながら話をするのを楽しみにしていました。
◉今日はゴミの日です。自分でゴミを出しに行けないHさんの代わりに、EさんがゴミをPickする約束をしており、Eさんは朝7時半にHさんの家を訪れ、声をかけました。かすかな物音がするのでHさんは在宅のようですが、何度声をかけても玄関の扉を開けてくれません。
◉30分後にHさん宅をもう一度訪れ、声をかけましたが、やはり開けてくれません。おかしいと思い、裏に回って窓からのぞいたところ、ベッドとテーブルの間に挟まって身動きができないHさんの姿が見えました。かなり衰弱している様子で、一刻も早くHさんを救出しなければなりませんが、扉には鍵がかかっており、なかに入れません。

Q このような場合、Eさんはどのように対応すればよいでしょうか？
具体的な方法をあげてください。

Case 22 ［解説］

1. 合鍵をもっている人を把握しておく

　一刻を争う事態ですから、早急に合鍵をもっている人を見つけることが必要です。仮設住宅への入居時に、誰が合鍵を保管しているか、その人は仮設住宅までどのくらいの距離・時間のところに住んでいるか等を記載してもらい、情報源として保管しておけば、時間のむだなく、つらい状態の本人にも負担をかけることがなく、対応できると思います。

　このケースでは、行政に連絡して合鍵をもって来てもらい、家のなかに入ることができました。Hさんは朝5時にトイレに行った帰りに足がもつれ、ベッドとテーブルの間に挟まってしまい、身動きがとれなくなってしまったそうです。長時間無理な体勢でいたため、脱水状態になっており、危機一髪のところでした。

　Hさんには近くにある別の仮設住宅にお兄さんが住んでおり、お兄さんが合鍵をもっていたのですが、そのことを支援者は知らなかったので呼ぶことができませんでした。

　今回のことを踏まえ、支援ボランティアとHさん、お兄さんで話し合い、再度同じことが起こるかもしれないので、用心のために支援ボランティアにも合鍵を預からせていただくことになりました。このことで、Hさんも安心されたようです。

　このように、1人暮らしの高齢者の場合、本人の了承があれば、支援者が合鍵を預からせていただくことも、緊急時の対策の1つなのではないかと思います。

（黒田 裕子）

Case 23

「早くあの世に逝きたい」と言う被災者

- 60歳の男性Tさんは、このたびの地震と津波で自宅と自営していた店を流され、財産のほとんどを失っただけでなく、仕事も失ってしまいました。Tさんは5年前に妻を亡くしており、1人暮らしでした。
- EさんがTさん宅に訪問に訪れるたびに、Tさんは「俺は1人ぼっちだ。すべてを失くして、もう生きている意味がない。後は自分が死ぬだけだ。早くあの世に逝きたい。いつお迎えがくるのかな」と話します。Eさんはどう返答したらよいかわからず、対応に困っており、Tさん宅に訪問するのがだんだん苦痛になってきました。

Q このような状況で、EさんはTさんに対して、どのように支援していけばよいでしょうか？具体的なポイントをあげてください。

Case 23 ［解説］

1. 支援者は、被災者には様々な喪失感があることを念頭においておく

　災害による被害が大きければ大きいほど、被災者には様々な喪失感があることを、支援する者は念頭においておくことが大切です。その喪失感とは、①愛する人の喪失、②所有物の喪失、③環境の喪失、④役割の喪失、⑤自尊心の喪失、⑥身体的損失、⑦社会生活における安全・安心の喪失、の7つの視点（図5）から考えられます。

2. 相手の問いかけに必ずしも答えを返さなくてもよい

　言葉をかわす際は、相手の問いかけの言葉に必ずしも答えを返さなくてもよい、ということがポイントです。けれども、相手が話している間は、"聴こうとする姿勢" をとることが大切です。「あなたが言っていることをわかろうとする私が、いまここにいますよ」という態度を示すことが、相手に安心感を与えます。

　問いかけの答えは、言っている本人がもっているのです。聴く側は、沈

- ●愛する人の喪失　　●所有物の喪失
- ●環境の喪失　　　　●役割の喪失
- ●自尊心の喪失　　　●身体的損失
- ●社会生活における安全・安心の喪失

［図5］被災者のもつ7つの視点からみた喪失感

黙があっても構わないので、聴くことに徹することが重要です。

3. 「聴く」ときのポイント

あなたは相手の話をきくとき、「聞く」「聴く」のどちらで行うでしょうか？　もちろん「聴く」のほうだと思います。「聴く」ということは、ただ「きく」という形をとればよいというものではありません。相手と45度の角度で向き合うと、コミュニケーションが図りやすくなります。このように、聴く姿勢も重要だということを心に留めておきましょう。

アメリカの心理学者アルバート・メラビアンは、「好意の合計＝言語による好意7％＋声による好意38％＋表情による好意55％」という実験結果を示しており、人が他人から受け取る情報の割合は、顔の表情が55％もあると述べています。よって、表情にも気を配ることが大切です。

また当然のことですが、聴く際はマナーをしっかり守ってください。

Tさんに対しては、筆者が毎日訪問し、約1時間、傍らにいて寄り添ったことで、ご自分で"生き切る"力を出してくださいました。Tさんが語る1つひとつの話をていねいにしっかり聴いて、共に考えることを真剣にした結果だと思います。人間不在にならないケアのあり方を常に考えながら、向き合うことの大切さをさらに認識した事例でした。　　　　　（黒田 裕子）

Case 24

料理をしたことがない男性

- 仮設住宅で暮らす1人暮らしの65歳の男性Yさんは、津波で妻を失い、日々の生活のすべてを自分でしなければならなくなりました。これまですべての家事は妻がしていたようで、Yさんは台所に入ったことすらなく、食事をどうやってつくればよいか見当もつかない様子です。「妻がいるときには、何もかもすべて妻にしてもらっていたんだが……」とぽつりと話しています。
- Yさんは「これから先、どうしていいかわからない」と言って、毎日アルコールを飲みながら、うさ晴らしをしています。
- Eさんが訪問しても、床にカップラーメンの容器がころがっているだけで、きちんとした食事をしている様子はありません。酒瓶の数は日に日に増えており、このままではYさんの健康が心配です。

Q このような状況で、EさんはYさんに対して、どのように支援していけばよいでしょうか？
具体的なポイントをあげてください。

Case 24 [解説]

1. 料理する楽しさを教え、自炊できるように支援していく

　Yさんのように、これまで家事は妻に任せきりで、まったくしたことがなかったという人の場合は、妻を亡くされた後の生活に支障が生じてくることが考えられます。実際、Yさんはきちんとした食事をせずに、アルコールに逃避してしまっているようです。このような人には、健康問題に気をつけていかなくてはなりません。

　このケースでは、筆者が仮設住宅住民のための「男の料理教室」を始めました。レシピを持参していっしょにつくることで、料理の楽しみを感じ取っていただいたのです。Yさんは食材の買い方も知らなかったので、市場にいっしょに行き、買い物の仕方も指導しました。

　筆者は、阪神・淡路大震災後の神戸市の仮設住宅で支援しているときに「男の料理教室」を開催した経験があります。これがきっかけとなり、いまでは「男の料理教室」は全国に広まっています。

　Yさんは、自分で料理をつくって妻の仏前に供えることで、「妻にこれまでの恩返しができた」と話していました。また、自分でつくることで食欲もわいてきたようです。以来、毎日欠かさず、しかも楽しみながら、食事をつくるようになりました。

（黒田 裕子）

Case 25

利便性の悪い仮設住宅

●Eさんが訪問を担当している仮設住宅は、町の中心街から遠く離れた高台にあります。車がないと何をするにも不便な場所です。近くに買い物ができるお店はなく、公共交通機関も通っていません。

●買い物や銀行、病院、役所などに行くには、車があれば町の中心街まで10分ほどなのですが、車がなければ約40分かけて歩いていくしかありません。坂道が多く、高齢者には重労働です。多くの住民は、このような利便性が悪い生活に困っています。

●このような状態を知り、Eさんは何とか改善できないかと考えています。

Q この仮設住宅にどのような支援メニューを導入すれば、住民が便利に暮らせるようになると思いますか。具体的な案をあげてください。

Case 25 [解説]

1. 時間や季節、地域の特性などに応じた支援メニューを考える

　仮設住宅の住民には、被災による多くの苦痛があります。被災者1人ひとりのその人らしさを尊重し、いまこの時期に、この人々にはどのような支援メニューが必要であるかを考えることが大切です。

　支援メニューを考えるときは、時間軸（朝か夕方かなど）や季節、地域の特性によって、また対象者の発達段階によって、ケアのあり方が変わってくることを、支援者は把握しておく必要があります。そのうえで実践することが大切です。

　筆者は、この事例のように、買い物に行くためのアクセス手段がない仮設住宅で支援を行ったことがあります。住民の利便性向上のために何かできることはないかと考え、移動市場に週2回、来てもらうよう手配しました。また、住民が病院に通うのも大変だったので、病院から巡回バスを1日2回出してもらうようにしました。

　様々な困難な状況にある被災者に、生きる力をどのように提供するかが支援者に課せられた役割です。1人ひとりに寄り添ったケアのあり方を常に考えることが大切です。

（黒田 裕子）

Case 26

仮設住宅のコミュニティ強化

- Eさんが訪問している仮設住宅は、様々な地域から来た被災者が生活しています。周りに知り合いがいないため、家に閉じこもり、1日中誰とも話をしない1人暮らしの高齢者もいます。
- Eさんは、このままでは閉じこもりや孤独死をする住民が出てくるのではないかと心配です。仮設住宅のコミュニティ強化を図るために何かしたいと考えています。

Q 仮設住宅のコミュニティ強化を図るために、Eさんはどのような工夫を行えばよいでしょうか。
具体的な案をあげてください。

Case 26 [解説]

1. イベントを開催し、新しいコミュニティづくりを支援する

　仮設住宅は、1つの地域の住民が地域単位でそのまま入居する場合と、いろいろな地域から住民が集まってくる場合があります。被災前の地域の住民がそのまま一体化となって入居することが、被災者の命を重んじるためにはいちばんよいのですが、現実にはそうもいかないこともあります。

　孤独死を予防するためには、仮設住宅のなかでお茶会などのイベントを開催するなどして、新しいコミュニティづくりをしていくことが有効です。

　みなが集まる場にはなかなか出てきたがらない人もいますが、そのような人には出てこない理由を尋ねて、その人のニーズに添ってその人らしさを保つようにします。お茶会で1人ぽつんとしている人がいたら、傍らに寄り添い、その人の趣味は何かなどを聴いたりするとよいでしょう。

　筆者は、このようにしてコミュニティの強化を図るようにしています。仮設住宅の住民が1人でも多くの人と語り合うことができれば、それだけお互いが支え合うことができるため、このような仕組みをとっているのです。住民ができるだけ孤独にならないような支援が、コミュニティづくりには必要です。

2. 近隣の人が異常を早期発見する役割を担うように働きかける

　筆者が仮設住宅に拠点を設置している理由は、孤独死・自殺者を出さないためです。コミュニティが破壊されているなかでは、住民同士がコミュニケーションを図るのは難しい状況です。地域の人々が孤独を感じている人に目を向けられるように、支援者が働きかけることが大切です。

近隣の人々に働きかけながら、ちょっとした視点を向けるようにしていくことがいちばん効果的でしょう。例えば、同じ洗濯物が3日間干されていないか、新聞受けがいっぱいになっていないか、郵便物が溜まっていないか、などを観察したり、対象者の家の電気は夜ついていたか、朝は消されていたかなどを近隣の人にチェックしていただくことで、異常の早期発見が可能になるのです（p.116 Case 21 表3のチェック表も参照）。

　そして、災害で助かった命をむだにすり減らすことのないように、かかわりをもち続けることが大切です。　　　　　　　　　　　（黒田 裕子）

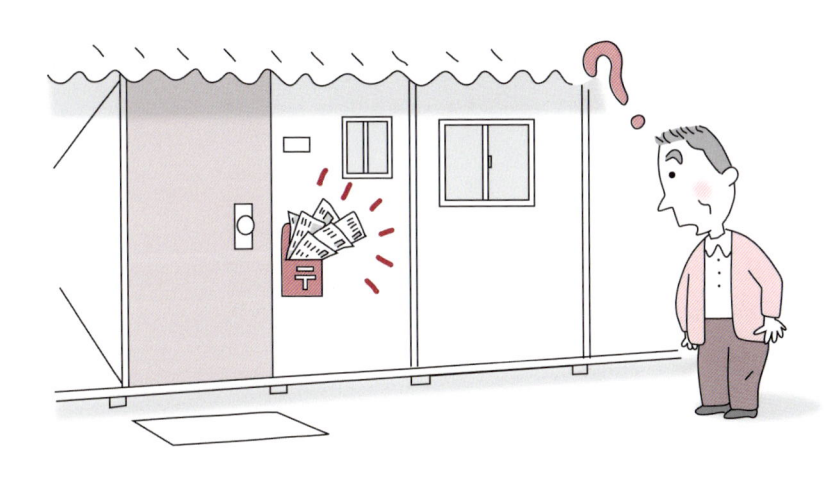

Case 27
仮設住宅住民の個人情報

- ある日いつものようにＥさんが仮設住宅を巡回訪問しているときに、見かけない女性に声をかけられました。その人は、仮設住宅に居住しているお姉さんを訪ねてきたそうですが、その家がどこかわからないので教えてほしい、ということです。
- Ｅさんはその人が訪ねてきたというお姉さんの家を知っています。教えてあげようと思い口を開こうとした瞬間、もしかするとこれは個人情報なので、他人にむやみに教えてはいけないのではないか、と心配になってきました。

Q このような場合、Ｅさんはどう対応したらよいでしょうか。親兄弟だけでなく、友人や知人、親戚と言ってこられた場合はどうでしょうか？
具体的な対応方法をあげてください。

Case 27 ［解説］

1. 個人情報に関する質問にはすぐに答えず、本人に確認する

　仮設住宅には、様々な方が入居しています。ですから、このケースのような「○○さんの家はどこか」というような個人情報の質問には、すぐに返事をしないことです。親兄弟であろうと、友人知人であろうと、絶対に教えてはいけません。

　こういう場合は、質問してきた人の名前と連絡先を聞き、本人に確認して後で連絡すると伝え、いったん引き取っていただきます。そして、本人に「こういう方が○○さんを訪ねてこられたのですが、心当たりがありますか」と聞きます。心当たりがあるようだったら、質問した人に連絡して、集会所に来てもらいます。いきなり家を教えるのではなく、まずは集会所に来てもらって、本人に本当に知り合いなのか確認することが、トラブルを防ぐためには重要です。

（黒田 裕子）

Case 28
仮設住宅での宗教活動

- ある日、Eさんは仮設住宅にある集会所をのぞいてみました。数名の住民がパンフレットのようなものをもち、集まっていた人に何かをしきりに話しています。どうやらある宗教の勧誘のようです。
- いつも集会所に来ている、おとなしい性格の高齢の女性Oさんも、しつこく誘われているようです。迷惑そうに見えますが、断りづらい性格のようで、随分長い間、勧誘者の話につき合わされています。
- 以前勧誘されて、その宗教の集まりに何度か行ったことがあるという住民の話を聞くことができました。最初はとても親切で、親身になって話を聞いてくれたのだけれども、親しくなってくると「お金を貸して」とか、「いい指輪があるから買わないか」ともちかけられるそうです。
- Eさんは集会所で宗教の勧誘をするのはよくないと考えますが、相手側とトラブルが起こらないようにするには細心の注意を払わなければならないとも思います。

Q このような場合、Eさんはどのように対応したらよいでしょうか？
具体的な対応方法をあげてください。

Case 28 ［解説］

1. 公的な場での宗教活動の禁止

どのような宗教であっても、公的な場では勧誘や宗教活動をしてはいけません。また、させてもいけません。宗教活動をすることで、必ずトラブルが起きるからです。それは、お金の問題へと発展していきます。また過去には、住民間の関係性が悪くなって、閉じこもりになってしまったというケースもありました。

宗教活動をしている人を見つけたら、見つけた人が注意することが大切です。支援者がいる場合は、支援者が間に入るとよいでしょう。

2. 相手を説得するときの留意点

相手側にこちらの意向を伝え、納得していただく際にトラブルとならないようにするためには、最新の注意が必要です。相手にこちらの話を聞いてもらえるような余裕がある時間に話すほうがよいでしょう。相手が誰かと話しているときに、その話をさえぎって注意するのはあまりよい方法ではありません。いまここで介入してよいのか、間を考えることが大切です。

また、一度に強い口調で言うのではなく、勧誘の場面を見かけたらそのつど注意したほうがよいでしょう。

仮設住宅は住民のみなさんの生活の場です。なるべくトラブルを起こさないように、説得する際にも細心の注意を払うことが必要になります。

（黒田 裕子）

❓ プチ問題

「音がうるさい」とたびたび隣の家に怒鳴り込んでいく人がいます。しかし怒鳴り込まれたほうは日常の生活音しか出しておらず、どうやら嫌がらせのようです。仮設住宅に入居してから1年が経ち、住民はみなストレスが溜まってきており、あちこちで小さないざこざが頻繁に起こっています。今後さらにエスカレートしたときが心配です。どうしたらよいでしょうか？

▼

嫌がらせをしている人とされている人との関係性をよく把握しておくことが、問題解決の糸口となります。支援者が間に入り、調整しましょう。それでも嫌がらせが続くような場合は、支援者が出向き、嫌がらせをしている人に注意をすることもあります。

（黒田 裕子）

おわりに

　黒田裕子先生と私の念願であった書籍『事例を通して学ぶ 避難所・仮設住宅の看護ケア』が完成して、いま感無量です。私たちは、災害看護というと多くの場合、急性期医療のイメージをもたれていると感じてきました。しかし、DMATメンバーとしてではなく被災地に出向く看護職が現地に到着するころには、すでに急性期は脱し、トリアージの時期も終わっていることが多くあります。その先、被災者にとってずっと長く続くのは、避難所や仮設住宅での生活です。支援に赴いた看護職は、被災者の生活の場で看護を担うことが圧倒的に多いのです。

　そこで看護職の皆さんに、避難所や仮設住宅で課題となることを知り、その解決の糸口にしていただけたらと思い、この本をつくりました。掲載されている事例は、すべて黒田先生や私が実際に経験し、取り組んできたものです。これらの事例に対する解説を、正解というのではなくヒント程度にして、自分で工夫を加え、創造的な看護を実践していただけたらと思います。平常時に準備していないことは、災害時には実行できません。日ごろから知識技術を磨き、備えることが重要です。

　避難所は、被災した人々が命からがら避難してきた後、生活の場となるところです。衣食住すべてが同一の場で行われます。睡眠が十分にとれない、人間関係がうまくいかないなどが起こると、心身に様々な影響を及ぼします。よって、災害時には、看護師は医療にだけかかわっていればよいというのではなく、被災住民の生活全般を支援し、人々がより健康を維持できるように活動する必要があります。

　私は兵庫県看護協会の「まちの保健室」事業で長く理事や委員を務めてきました。阪神・淡路大震災から17年が経過した現在でも、看護職のみなさんは復興支援住宅内の拠点で「まちの保健室」や訪問を続けています。私がはじめて被災地に入り、避難所で看護をしたとき、まさに「まちの保健室」の看護のようだと実感しました。私は災害看護の講義をさせていただくときにはいつも、受講されているみなさんに、「避難所では、自分がナイチンゲールになったつもりで

看護してほしい」とお伝えしています。

　「災害時には、ふだん病院にあるような器具や薬などがそろっていないから不安だ」と思う方もいるかもしれません。しかし、特別なことをするのが災害看護ではありません。日常積み重ねた基礎的な看護の知識と技術をうまく使いこなして、実践していただきたいのです。看護職の誇りをもち、豊かな発想力、的確な判断力・実行力、リーダーシップ、協調性、主体性を生かした活動をしていただきたいと思います。日ごろの基本的な実践を被災地で繰り広げることができたら、あなたも立派な災害支援ナースです。

　「でもやっぱり、不安だ」という方のために、この本はあります。ぜひ被災地に本書を持参し、活用してください。災害を受けた人々の生活が災害以前のように戻ることは難しいのですが、それでも復興へと一歩一歩踏み出すことができるのは、災害支援に入る看護職の力があるからだと思っています。

神崎　初美

索引

■欧文

DMAT (Disaster Medical Assistant Team)　5
twitter (ツイッター)　56

■あ行

憩いの場　35
移動市場　112, 126
医療対策本部　3
衛生管理　49
エコノミークラス症候群　28, 31, 62
嘔吐　79
嘔吐物の処理　80
男の料理教室　124

■か行

外国人　39, 51
かぜ、インフルエンザの流行　76
仮設住宅　21, 110, 125
　　―の居住期間　111
　　―の訪問　116
観察　42
感染　35, 80, 105
感染管理　35
感染症　31, 35, 49, 77
感染予防行動　77
気づき　41
行政看護職　5
協働　40
居住場所の移動　66, 90, 92
記録　32
薬の不足　73
口腔ケア　38, 50
高齢者　38
個人情報　130
孤独死　26, 112, 115, 127
子ども　52, 96
　　―への対応　82
子ども会議　83
ゴミ　35, 49, 113
コミュニティづくり　26, 112, 128
コミュニティの強化　104, 127

■さ行

災害医療体制　2
災害救助法　12
災害拠点病院　5
災害時の通信伝達手段　56
災害時要援護者　13, 21, 66, 91
災害対策基本法　11
災害対策本部　3, 80
災害に関する法律　11
災害派遣医療チーム　5
災害派遣ナース　7
サプリメント　101
支援メニュー　114, 126
視覚障がい者　38, 51
自己完結　8
社会資源　43, 106
写真撮影　70
集会所　112
宗教活動　132
巡回入浴サービス　95, 105
消毒　77
消毒薬　77, 80
情報　7, 29, 71
静脈血栓塞栓症　28, 31, 62
食事　48
食中毒　31, 37, 48, 68, 77, 79
食欲不振　37, 48, 101

食料　67, 99
所持物品（被災地に赴く際の）　9
自立への支援　103
人工透析　31
水分摂取　31, 38, 49
ストレス　83, 87, 111, 134
生活支援相談員　25
生活不活発病　28, 31, 62, 89
清拭　96, 106
洗濯　93, 111
騒音（隣人の）　111
喪失感　121

■た行
第1次的避難所　13, 92
第2次的避難所　15, 17, 92
炊き出し　68
脱水症　31, 49, 62
聴覚障がい者　39, 51
杖の入手　90
手洗い　35, 77, 80
デマ　72
トイレ　35, 49, 60, 80
投薬処方箋　74
特別避難所　16
土足　63

■な行
乳幼児　40, 52
入浴　95, 105
尿路感染症　62
ネットワーク　40

■は行
廃用症候群　28, 31, 62, 89
被災者生活再建支援法　12
被災地での心構え　8

ビタミンの欠乏　99
1人暮らしの高齢者　115, 118
避難所
　―での看護アセスメント　32
　―での看護職の役割　32
　―の運営　16
　―の種類　12
　―の場所取り　65
避難所運営者　72
避難所環境　28
避難所管理者　66, 107
避難所住民の健康状態　30, 69
避難所生活による悩み　18, 19
皮膚の感染　96, 106
風評　72
福祉避難所　15, 17, 92
　―における看護職の役割　37
服薬　50, 75
物資管理　69
不眠　108
プライバシー確保　35, 114
風呂　105, 111
分散型避難所　16
分析　42
訪問入浴サービス　106
歩行が困難な人　89
保清　50

■ま行
マスコミ　97
見守り支援　26

■ら行
ラジオ　29
利便性　125
連携　29, 40, 42, 72, 90

事例を通して学ぶ
避難所・仮設住宅の看護ケア

2012年7月10日　第1版第1刷印刷　　　　　　　定価（本体1,800円＋税）
2012年7月20日　第1版第1刷発行　　　　　　　　　　〈検印省略〉

著　　　者　　黒田　裕子／神崎　初美

発　　　行　　（株）日本看護協会出版会
　　　　　　　〒150-0001　東京都渋谷区神宮前5-8-2　日本看護協会ビル4階
　　　　　　　〈営業部〉TEL/03-5778-5640　FAX/03-5778-5650
　　　　　　　〒112-0014　東京都文京区関口2-3-1
　　　　　　　〈編集部〉TEL/03-5319-7171　FAX/03-5319-7172
　　　　　　　〈コールセンター：注文〉TEL/0436-23-3271　FAX/0436-23-3272
　　　　　　　http://www.jnapc.co.jp

装　　　丁　　臼井新太郎
本文イラスト　志賀　均
印　　　刷　　（株）教文堂

本書の一部または全部を許可なく複写・複製することは著作権・出版権の侵害になりますのでご注意ください。
©2012 Printed in Japan　　　　　　　　　　　　　　　　　ISBN978-4-8180-1680-4

仮設住宅訪問時に対象者と向き合うときのポイント（チェックリスト）

項　　目	月日	月日	月日
（前回の訪問と今回の訪問との違う点を見る）			
●在宅時			
訪問時「こんにちは」と言ってから、出てくるまでの時間がどのくらいかかったか			
出てきたときの顔の表情　下を向いていたのか、上を向いていたのか			
戸の開け方（開きの大・小、開けるときの目の方向、訪問者に目が向いていたかどうか）			
出てきたときの声に張りがあったか			
室内に上がらせていただいたとき、畳の隅の汚れはどうか			
台所のシンクのなかの食器の動きがあるかどうか。昨日と今日との比較を			
台所が汚れていたか（汚れがない場合→食事を摂っていないのではないか、または買ってきたものだけを食べている可能性がある）			
ゴミ箱のなかを見る（購入した食品の同じパッケージがいくつもあるならば、栄養の偏りがあることも気に留めておく			
トイレを見る機会があれば、便器のなかの汚れ具合から健康状態を把握する			
会話しているとき、言葉が普通に出ているか（ろれつの回り方から健康状態を把握する）			
会話のなかにポイントがあるので、見過ごさないようにする			
●不在時			
電気メーターの動きを見る			
水道メーターの動きを見る			
新聞受けの溜まり具合を見る。いつから溜まっているか			
牛乳、乳酸菌飲料など牛乳店から配達を依頼しているものがあれば、溜まり具合を見る			
家の前の風景も把握しておく			
洗濯物などが干されているようであれば、どのようなものが干されているかを見る			
ご近所の方に最近お見かけしたかどうかを尋ねながら、現状を把握する			

常にきめ細やかに、目配り・気配りを行いながら、相手と向き合う

仮設住宅訪問時に対象者と向き合うときのポイント（チェックリスト）

項　目	月日	月日	月日
（前回の訪問と今回の訪問との違う点を見る）			
●在宅時			
訪問時「こんにちは」と言ってから、出てくるまでの時間がどのくらいかかったか			
出てきたときの顔の表情　下を向いていたのか、上を向いていたのか			
戸の開け方（開きの大・小、開けるときの目の方向、訪問者に目が向いていたかどうか）			
出てきたときの声に張りがあったか			
室内に上がらせていただいたとき、畳の隅の汚れはどうか			
台所のシンクのなかの食器の動きがあるかどうか。昨日と今日との比較を			
台所が汚れていたか（汚れがない場合→食事を摂っていないのではないか、または買ってきたものだけを食べている可能性がある）			
ゴミ箱のなかを見る（購入した食品の同じパッケージがいくつもあるならば、栄養の偏りがあることも気に留めておく			
トイレを見る機会があれば、便器のなかの汚れ具合から健康状態を把握する			
会話しているとき、言葉が普通に出ているか（ろれつの回り方から健康状態を把握する）			
会話のなかにポイントがあるので、見過ごさないようにする			
●不在時			
電気メーターの動きを見る			
水道メーターの動きを見る			
新聞受けの溜まり具合を見る。いつから溜まっているか			
牛乳、乳酸菌飲料など牛乳店から配達を依頼しているものがあれば、溜まり具合を見る			
家の前の風景も把握しておく			
洗濯物などが干されているようであれば、どのようなものが干されているかを見る			
ご近所の方に最近お見かけしたかどうかを尋ねながら、現状を把握する			

常にきめ細やかに、目配り・気配りを行いながら、相手と向き合う